STEPHEN KING

Short Stories / Nouvelles

The Monkey
Le singe

Mrs Todd's Shortcut
Le raccourci de Mme Todd

Présentation, traduction et notes
par
Michel ORIANO
Agrégé de l'Université, docteur d'État

Extraits enregistrés disponibles uniquement sous forme de coffret (livre + cassette). (réf. 8519).

Langues pour tous

Collection dirigée par Jean-Pierre Berman, Michel Marcheteau et Michel Savio

ANGLAIS

☐ Pour débuter (ou tout revoir) : • **Parlez anglais en 40 leçons** ●●

☐ Pour se perfectionner et connaître l'environnement :
- **Pratiquez l'anglais** ●●
- **Pratiquez l'américain** ●●

☐ Pour mieux s'exprimer et mieux comprendre :
- **Communiquez en anglais** ●●

☐ Pour évaluer et améliorer votre niveau :
- **Score anglais :** testez votre niveau
- **Score civilisation USA**

☐ Pour se débrouiller rapidement :
- **L'anglais tout de suite** ●●

☐ Pour aborder la langue spécialisée :
- **L'anglais économique & commercial** ●●
- **Correspondance commerciale** ●●
- **Vendre en anglais**
- **Exporter en anglais**
- **Score commercial**
- **Téléphoner en anglais** ●●
- **Rédigez votre C.V. en anglais**
- **Dictionnaire économique, commercial et financier**
- **L'anglais des sciences et des techniques I (Productique)** ●●
- **L'anglais du tourisme, hôtellerie et restauration** ●●
- **Communiquer en anglais scientifique** ●●
- **Dictionnaire de l'anglais de l'informatique**
- **L'anglais juridique**

☐ Pour s'aider d'ouvrages de référence :
- **Dictionnaire de l'anglais d'aujourd'hui**
- **Grammaire anglaise pour tous** (débutants)
- **Grammaire de l'anglais d'aujourd'hui** (2e cycle)
- **Correspondance pratique pour tous**
- **L'anglais sans fautes** ●●
- **La prononciation de l'anglais** ●●

☐ Pour les « juniors » :
- **L'anglais par les comptines** (3-6 ans)
- **Cat you speak English ?** (à partir de 8 ans)
- **L'anglais par le RAP** (à partir de 10 ans)
- **L'anglais par la BD** (à partir de 12 ans)
- **L'anglais par les hits d'hier et d'aujourd'hui**

☐ Pour prendre contact avec des œuvres en version originale :
- **Série bilingue** (extrait du catalogue **avec plus de 45 ouvrages**) :

* = ●● ➡ **Niveaux :** ☐ facile (1er cycle) ☐☐ moyen (2e cycle) ☐☐☐ avancé

■ *À thème :*
- **L'anglais par les chansons* (GB/US)** ☐
- **La Grande-Bretagne à travers sa presse*** ☐☐☐
- **L'Amérique à travers sa presse*** ☐☐☐
- **Bilingue anglais scientifique* (US/GB)** ☐☐

■ *Auteurs anglais :*

Carroll (L.) ☐☐
Dickens (Ch.) ☐☐
Doyle* (A.C.) ☐☐
Greene* (G.) ☐☐
Jerome* (J.K.) ☐
Kipling* (R.) ☐☐
Lawrence* (D.H.) ☐☐☐
Mansfield* (K.) ☐☐☐
Maugham* (S.) ☐☐
Stevenson* (R.L.) ☐☐
Tolkien (J.R.R.) ☐
Wilde* (O.) ☐
Wodehouse (P.G.) ☐☐

■ *Auteurs américains :*

Bellow (S.) ☐☐☐
Bradbury (R.) ☐☐
Chandler* (R.) ☐☐
Fitzgerald* (S.) ☐☐
Highsmith* (P.) ☐☐
Hitchcock* (A.) ☐☐
James* (H.) ☐☐☐
King* (Steven) ☐☐
London* (J.) ☐☐
Nabokov (V.) ☐☐☐
Nouvelles classiques* ☐☐
Twain* (M.) ☐☐

●● = Existence d'un coffret : Livre + K7

Attention ! Les cassettes ne peuvent être vendues séparément du livre.
➡ Le livre seul est disponible (sauf **RAP** et **Comptines**).

Également :

ALLEMAND - ARABE - CHINOIS - ESPAGNOL - FRANÇAIS - GREC - HÉBREU - HONGROIS - ITALIEN JAPONAIS - LATIN - NÉERLANDAIS - POLONAIS - PORTUGAIS - RUSSE - TCHÈQUE - TURC

SOMMAIRE

Ces nouvelles sont extraites
de *Skeleton Screw*

ISBN : 2-266-02923-1

Comment utiliser la série « Bilingue » ?

Les ouvrages de la série « Bilingue » permettent aux lecteurs :

- d'avoir accès aux versions originales de textes célèbres, et d'en apprécier, dans les détails, la forme et le fond, en l'occurrence, ici, deux nouvelles de Stephen King ;
- d'améliorer leur connaissance de l'anglais, en particulier dans le domaine du vocabulaire dont l'acquisition est facilitée par l'intérêt même du récit, et le fait que mots et expressions apparaissent en situation dans un contexte, ce qui aide à bien cerner leur sens.

Cette série constitue donc une véritable méthode d'auto-enseignement, dont le contenu est le suivant :

- page de gauche, le texte en anglais ;
- page de droite, la traduction française ;
- bas des pages de gauche et de droite, une série de notes explicatives (vocabulaire, grammaire, rappels historiques, etc.).

Les notes de bas de page et la liste récapitulative à la fin de l'ouvrage aident le lecteur à distinguer les mots et expressions idiomatiques d'un usage courant et qu'il lui faut mémoriser, de ce qui peut être trop exclusivement lié aux événements et à l'art de l'auteur.

Des pages de révision offrent au lecteur des séries de phrases types, inspirées du texte, et accompagnées de leur traduction. Il faut s'efforcer de les mémoriser.

Il est conseillé au lecteur de lire d'abord l'anglais, de se reporter aux notes et de ne passer qu'ensuite à la traduction ; sauf, bien entendu, s'il éprouve de trop grandes difficultés à suivre le texte dans ses détails, auquel cas il lui faut se concentrer davantage sur la traduction, pour revenir finalement au texte anglais, en s'assurant bien qu'il en a maintenant maîtrisé le sens.

Un enregistrement sonore permet d'apprécier des extraits de ces deux nouvelles et de se familiariser avec l'accent de la Nouvelle Angleterre. Voir la sélection des passages pp. 204 et suiv.

Signes et principales abréviations

≠	contraire, différent	*m. à m.*	mot à mot
⚠	attention, remarquez	*pop.*	populaire
▲	faux-ami	*pl.*	pluriel
adj.	adjectif	*qqch.*	quelque chose
adv.	adverbe	*qqn*	quelqu'un
fam.	familier	*s.e.*	sous entendu
fig.	figuré	*sbd.*	*somebody*
US	États-Unis	*s.l.*	slang (argot)
expr.	expression	*sg.*	singulier
GB	Grande-Bretagne	*sth.*	something
litt.	littéralement	*syn.*	*synonyme*

Prononciation

Sons voyelles

[ɪ] **pit**, un peu comme le *i* de *site*

[æ] **flat**, un peu comme le *a* de *patte*

[ɒ] ou [ɔ] **not**, un peu comme le *o* de *botte*

[ʊ] ou [u] **put**, un peu comme le *ou* de *coup*

[e] **lend**, un peu comme le *è* de *très*

[ʌ] **but**, entre le *a* de *patte* et le *eu* de *neuf*

[ə] jamais accentué, un peu comme le *e* de *le*

Voyelles longues

[i:] **meet** [mi:t] cf. *i* de *mie*

[ɑ:] **farm** [fɑ:m] cf. *a* de *larme*

[ɔ:] **board** [bɔ:d] cf. *o* de *gorge*

[u:] **cool** [ku:l] cf. *ou* de *mou*

[ɜ:] ou [ə:] **firm** [fə:m] cf. *e* de *peur*

Semi-voyelle :

[j] **due** [dju:], un peu comme *diou*...

Diphtongues (voyelles doubles)

[aɪ] **my** [maɪ], cf. *aïe !*
[ɔɪ] **boy**, cf. *oyez !*
[eɪ] **blame** [bleɪm] cf. *eille* dans *bouteille*
[aʊ] **now** [naʊ] cf. *aou* dans *caoutchouc*

[əʊ] ou [əu] **no** [nəʊ], cf. *e* + *ou*
[ɪə] **here** [hɪə] cf. *i* + *e*
[eə] **dare** [deə] cf. *é* + *e*
[ʊə] ou [uə] **tour** [tʊə] cf. *ou* + *e*

Consonnes

[θ] **thin** [θɪn], cf. *s* sifflé (langue entre les dents)
[ð] **that** [ðæt], cf. *z* zézayé (langue entre les dents)
[ʃ] **she** [ʃi:], cf. *ch* de *chute*

[ŋ] **bring** [brɪŋ], cf. *ng* dans *ping-pong*
[ʒ] **measure** ['meʒə], cf. le *j* de *jeu*
[h] le *h* se prononce ; il est nettement expiré

* indique que le *r*, normalement muet, est prononcé en liaison ou en américain

PRÉSENTATION

Plus de 50 millions de livres vendus dans le monde, une quinzaine de films tirés de ses œuvres... Mais quel est donc le secret de Stephen King ?

Certes, il joue sur des angoisses et des terreurs qui habitent l'humanité depuis ses origines, comme en témoignent les légendes orales et écrites de toutes les civilisations.

Il s'inscrit de plus dans une longue tradition littéraire que l'on fait par commodité remonter au *Château d'Otrante* publié en 1764 par Horace Walpole. Ce type de roman dit « gothique », et dont *Les mystères d'Udolpho* d'Ann Radcliffe (1794) est un autre exemple, abonde en terrifiantes scènes nocturnes dans des châteaux en ruine ; et même si des explications rationnelles sont fournies à la fin du récit, le but de tels ouvrages est bien de susciter chez le lecteur la crainte du surnaturel et l'effroi devant ses manifestations.

Enrichie par la suite de « héros » pathétiques ou maléfiques, tels le Frankenstein de Mary Shelley (1816) et le Dracula de Bram Stoker (1897), cette littérature connut une importante mutation avec Edgar Poe (1809-1849) qui en « intériorisa » l'horreur, l'associant aux dérèglements psychiques et aux troubles de la perception de ses personnages tout autant qu'au décor et à la mise en scène.

Le genre trouva aux États-Unis de nombreux adeptes — ce qui ne surprend guère compte tenu de l'obsession puritaine du mal et du péché. Dès 1693, l'année qui suivit les procès en sorcellerie de Salem (1692), Cotton Mather écrivait dans son ouvrage *Les mystères du Monde Invisible* : « Les habitants de la Nouvelle-Angleterre sont un peuple de Dieu établi sur les territoires qui étaient jadis ceux du diable (...) Je crois qu'on n'a jamais usé d'autant de procédés sataniques pour ébranler aucun autre peuple sous le soleil (...). Mais toutes ces tentatives de l'enfer ont jusqu'ici échoué. »

Une nouvelle étape fut franchie au vingtième siècle avec Howard Philipps Lovecraft (1890-1937) dont le mythe de Cthulhu — avec son panthéon de dieux et de monstres, et le thème de leur tentative permanente de reconquête du pouvoir sur notre planète avec l'aide de leurs complices humains — va être repris et nourri par de nombreux continuateurs, qui en font un cycle en perpétuel enrichissement, une sorte de chanson de geste du fantastique et de l'horreur.

Cette tradition littéraire, Stephen King la connaît parfaitement. Il a lu tous ces auteurs. Il a même directement contribué à la saga de Cthulhu avec sa nouvelle « Grouch End » (1980), et nombreux sont dans son œuvre les références ou échos aux ouvrages précédemment cités, et à bien d'autres de la même veine.

Cependant le roman d'horreur, avant King, ne touchait qu'un public souvent fanatique mais fort réduit. Certes, les « pulp magazines » (*Weird Tales*, etc.) d'avant-guerre, les bandes dessinées, le cinéma et enfin la télévision ont progressivement étendu le cercle des amateurs. Mais tout cela n'explique pas l'extraordinaire succès populaire de Stephen King.

En fait, c'est à son approche même du genre qu'il doit sa réussite : King est l'écrivain des grandes terreurs de l'âge atomique et technologique, de la solitude et de la difficulté d'être dans nos modernes cités. A l'instar de Richard Matheson — auquel il rend hommage — il décrit le monde contemporain et ses citoyens ordinaires, et non pas des reclus vivant dans des manoirs en ruine ou des personnages excentriques. Le cadre de ses romans et nouvelles est l'Amérique d'aujourd'hui, et ses personnages — qui sont la proie de maléfices plus qu'ils ne les génèrent — ont des relations familiales, amoureuses et de voisinage suffisamment empreintes de normalité pour que le lecteur se sente proche d'eux. Le fait que ses héros sont souvent des adolescents explique aussi son succès auprès des jeunes du monde entier.

Le style de King est accordé à cet environnement : ses personnages, et lui-même la plupart du temps, s'expriment comme des Américains moyens.

Ainsi le mystère, le mal, les horreurs qui rôdent derrière la surface des choses et des êtres sont mis au quotidien, et se confondent avec les inquiétudes d'un monde où l'homme, effrayé de ses propres pouvoirs de destruction, craint pour son avenir et celui de la planète, où les doutes métaphysiques millénaires ont perdu le confort de la religion, où la science, loin de tout expliquer, fait pressentir de nouveaux mystères et s'avère incapable de contrôler ses propres créations. C'est parce qu'il a su capter ce malaise diffus que King est un véritable auteur populaire, dont l'œuvre atteint un public qui ne se sentait pas concerné par le roman d'horreur en tant que genre littéraire.

Qu'importe alors que pour créer la peur, il utilise parfois des procédés dont la crudité et la vulgarité lui ont été reprochées, et qu'il assume d'ailleurs pleinement : « Je considère que la terreur est la plus riche des émotions. J'essaie donc de terrifier le lecteur... Mais si je m'aperçois que je n'y parviens pas, j'essaie de l'horrifier... Et si je ne puis l'horrifier, j'ai recours au révoltant. Je ne suis pas fier... »

Nous ne le sommes pas non plus, et souhaitons simplement que Stephen King continue à nous faire frémir.

CHRONOLOGIE

21 sept. 1947 : Naissance de Stephen Edwin King, à Portland, Maine
1954-1955 : Premiers récits, influencés par des nouvelles, programmes radio, films.
1965 : Son histoire *J'étais un adolescent pilleur de tombes* est publiée dans un magazine de bandes dessinées.
1966-1967 : Etudes littéraires (anglais) à l'Université du Maine à Orono. Ecrit pour le journal de l'école.
1967-1969 : Publie plusieurs nouvelles dans des revues spécialisées dans le fantastique.
1970 : Diplômé de l'Université du Maine (B. Sc. in English) ; ne trouvant pas de poste d'enseignant, travaille comme employé dans une blanchisserie.
1971 : Epouse Tabitha Spruce.
1971-1973 : Professeur d'anglais à Hampden (Maine).
1973 : La vente du manuscrit de *Carrie* lui permet de quitter l'enseignement pour se consacrer à l'écriture.
1974 : Publication de son premier roman *Carrie*.
1975 : Publie *Salem's lot*.
1976 : Sortie du film tiré de *Carrie*, dirigé par Brian de Palma.
1977 : Publication de *The Shining* et d'une série de nouvelles.
1978 : Publie *The Stand*, et le recueil de nouvelles *Night Shift*.
1979 : Version télé de *Salem's lot*. Publication de *The Dead Zone*.
1980 : Film tiré de *The Shining*. Dirigé par Stanley Kubrik. Publication de *Firestarter*, et de nouvelles (*The Mist, The Gunshinger, The Monkey*, etc.).
1981 : Joue dans le film tiré de son récit en 5 épisodes *Creepshow*, publie *Danse Macabre* et *Cujo*.
1982 : Sortie du film *Creepshow*, dirigé par George A. Romero (metteur en scène du classique *La Nuit des Morts Vivants* 1968) et de son adaptation en bandes dessinées. Publie *Different Seasons*.
1983 : Sortie des films tirés de *Cujo, The Dead Zone, Christine*. Publication de *Christine, Pet Sematary* et du *Cycle of the Werewolf*.
1984 : Films tirés de *Firestarter* et de *Children of the Corn*. Publie *The Talisman* (avec Peter Straub). Publie les nouvelles *Gramma* et *Mrs Todd's Shortcut*.
1985 : Film : *Cat's Eye*. Adaptation télé de *The Word Processor of the Gods*. Son magazine *Castle Rock* publie *Skeleton Crew* (recueil de nouvelles incluant *The Monkey* et *Mrs Todd's Shortcut*).
1986 : Publication de *Silver Bullet* et de *IT*. Sortie du film *Overdrive* (dirigé par King). Films : *The Body, The Running Man*.
1987 : Publication de *Misery, The Eyes of the Dragon, The Tommy knockers*. Film : *Pet Sematary*.
1989 : Publication de la version complète de *The Stand* (cf. 1978).

Sous le pseudonyme Richard Backman, S. King a publié 5 romans : Rage (1977), *The Long Walk* (1979), *Roadwork* (1981), *The Running Man* (1982) et *Thinner* (1984).

The Monkey

Le Singe

« Je me trouvais à New York pour affaires (...). En rentrant à mon hôtel (...), je vis un type qui vendait des singes mécaniques dans la rue. Il y en avait une compagnie dressée sur une couverture grise qu'il avait étendue sur le trottoir à l'angle de la 5e et de la 44e rues, qui tous se penchaient en grimaçant et en frappant leurs cymbales. Je les trouvai vraiment effrayants et je passai le reste du trajet jusqu'à mon hôtel à me demander pourquoi. Je conclus que c'était parce qu'ils me rappelaient la dame aux ciseaux... celle qui un jour tranche le fil de notre vie. Cette idée en tête, j'écrivis la nouvelle dans ma chambre d'hôtel. »

When Hal Shelburn saw it, when his son Dennis pulled it out of a mouldering Ralston-Purina [1] carton [2] that had been pushed far back under one attic eave [3], such a feeling of horror and dismay rose in him that for one moment he thought he would scream. He put one fist to his mouth, as if to cram it back.. and then merely coughed into his fist. Neither Terry nor Dennis noticed, but Petey looked around, momentarily curious.

"Hey, neat [4]," Dennis said respectfully. It was a tone Hal rarely got from the boy anymore himself. Dennis was twelve.

"What is it?" Peter asked. He glanced at his father again before his eyes were dragged [5] back to the thing his big brother had found. "What is it, Daddy?"

"It's a monkey, fartbrains," Dennis said. "Haven't you ever seen a monkey before?"

"Don't call your brother fartbrains," Terry said automatically, and began to examine a box of curtains. The curtains were slimy [6] with mildew and she dropped them quickly. "Uck."

"Can I have it, Daddy?" Petey asked. He was nine.

"What do you mean?" Dennis cried. "*I* found it!"

"Boys, please," Terry said. "I'm getting a headache."

Hal barely [7] heard them. The monkey glimmered up at [8] him from his older son's hands, grinning its old familiar grin [9]. The same grin that had haunted his nightmares as a kid, haunted them until he had –

---

1. **Ralston Purina** grande compagnie de produits chimiques US. Pour la fluidité de la lecture en français, on a utilisé dans la traduction une marque courante en France, ce qui ne change rien au sens général.
2. **Carton :** *boîte en carton* ; **cardboard :** du *carton* (la matière).
3. **Eaves :** le *rebord d'un toit.* Cf. **to eaves-drop :** *écouter aux portes.*
4. **Neat :** *propre, bien rangé.* Dans la bouche de Dennis, ce mot a une connotation enfantine.
5. **To drag :** *entraîner* (contre sa volonté).
6. **Slimy :** *poisseux, gluant* ; **mildew :** *la moisissure.*
7. **Barely** (ou **hardly**) **:** *à peine.* Cf. **Hardly had he arrived when he started drinking :** *à peine arrivé, il se mit à boire.* (On pourrait également dire : **No sooner had he arrived than he started drinking**.)

Hal Shelburn vit la chose : son fil Dennis la tirait d'un carton Omo qu'on avait relégué au fin fond d'une soupente de grenier. Consterné, il faillit pousser un cri d'horreur. Pour le réprimer, il pressa son poing contre sa bouche... et se contenta de tousser dedans. Terry et Dennis ne remarquèrent rien, mais Petey se retourna d'un air intrigué.

— Qu'il est mignon », dit Dennis d'un ton plein de respect qu'il n'adoptait plus guère devant son père. Il avait douze ans.

— Qu'est-ce que c'est ? » demanda Peter en regardant son père. Puis ses yeux furent de nouveau attirés par l'objet que son grand frère avait trouvé. « Qu'est-ce que c'est, papa ?

— C'est un singe, espèce de crétin, dit Dennis. Tu n'as jamais vu un singe ?

— Ne traite pas ton frère de crétin, dit machinalement Terry, en commençant à inspecter une boîte de rideaux moisis et poisseux qu'elle lâcha précipitamment. « Beurk ! »

— Je peux le prendre, papa ? » demanda Petey. Il avait neuf ans.

— Pas question, s'écria Dennis. *C'est moi* qui l'ai trouvé.

— Taisez-vous, les enfants, fit Terry. Vous me donnez la migraine.

C'est à peine si Hal les entendit. Dans les mains de son fils aîné, avec son rictus si familier, le singe faisait miroiter en lui de vieilles réminiscences. Ce rictus qui avait hanté ses souvenirs d'enfance ; qui les avait hantés jusqu'au jour où...

---

8. **Glimmer :** *lueur vacillante.* **At** implique une idée d'hostilité. Noter la densité de l'anglais grâce à une accumulation de postpositions et de prépositions extrêmement concrètes (**up, at, from**) qu'on ne peut rendre en français qu'en développant des périphrases. Dans le contexte fantastique et angoissant de la nouvelle, Stephen King utilisera souvent ce procédé de style que le lecteur est invité à relever par lui-même.
9. **Grin :** 1) *grimace qui découvre les dents, rictus* ; 2) *large sourire, sourire épanoui.* En fait, le mot recouvre les deux sens à la fois ; aucun vocable français ne lui correspond exactement. D'où les variantes que l'on trouvera dans cette traduction.

Outside a cold gust [1] of wind rose, and for a moment lips with no flesh blew a long note through the old, rusty gutter outside. Petey stepped closer to his father, eyes moving uneasily to the rough attic roof through which nailheads [2] poked.

"What was that, Daddy?" he asked as the whistle died to a guttural buzz [3].

"Just the wind," Hal said, still looking at the monkey. Its cymbals, crescents of brass rather than full circles, in the weak light of the one naked bulb, were moveless, perhaps a foot apart, and he added automatically, "Wind can whistle, but it can't carry a tune [4]." Then he realized that was a saying of Uncle Will's, and a goose ran over his grave [5].

The note came again, the wind coming off Crystal Lake in a long, droning [6] swoop and then wavering in the gutter. Half a dozen [7] small drafts [8] puffed cold October air into Hal's face – God, this place was so much like the back closet of the house in Hartford that they might all have been transported thirty years back in time.

I won't [9] think about that.

But now of course it was all he *could* think about.

In the back closet where I found that goddammed monkey in that same box.

Terry had moved away to examine a wooden crate filled with knickknacks, duck-walking [10] because the pitch [11] of the eaves was so sharp.

"I don't like it," Petey said, and felt for [12] Hal's hand. "Dennis c'n [13] have it if he wants. Can we go, Daddy?"

---

1. **Gust of smoke :** *bouffée de fumée* ; **gust of rain :** *une ondée.*
2. **Nailhead :** *tête de clou* ; **to poke :** 1) *pousser* (qqn) *du bras, du coude* ; 2) *tisonner* (**a poker :** *un tisonnier*). Ici, associé à **through**, le mot suggère surtout l'idée de transpercement.
3. **Buzz :** *bourdonnement, bruit confus.* Litt. *le sifflement du vent mourut en un bourdonnement guttural.*
4. **A tune :** *un air, une mélodie.*
5. **A goose ran over his grave.** Expr. idiomatique. Litt. *une oie courut sur sa tombe.*
6. **Drone :** *ronflement, grondement* ; **to swoop :** *fondre* (sur une proie, comme un oiseau). En substantivant le verbe, et en lui accolant un adj. sensoriel, King obtient un effet de style très dense et concret (cf. note 8, p. 11).

Dehors, il y eut une bourrasque glaciale ; des lèvres décharnées émirent un long sifflement dans la vieille gouttière rouillée. Petey se rapprocha de son père en regardant avec inquiétude le plafond raboteux du grenier, tout hérissé de clous.

Le vent tomba laissant place à un borborygme guttural.

— Qu'est-ce que c'était, papa ? demanda Petey.

— Le vent », dit Hal sans quitter le singe du regard. L'animal tenait des cymbales : immobiles, à environ trente centimètres l'une de l'autre, celles-ci apparaissaient comme des croissants de cuivre plutôt que comme des disques dans la faible lumière de l'unique ampoule nue. Puis Hal ajouta machinalement : « Le vent sait siffler, mais il ne sait pas jouer un air. » Il se souvint alors qu'il citait un adage de l'oncle Will, lequel dut se retourner dans sa tombe.

Le grondement reprit ; provenant du lac Crystal, le vent d'automne s'abattait sur la maison et venait défaillir dans la gouttière. Hal reçut en plein visage une demi-douzaine de courants d'air automnal. Dieu que cet endroit ressemblait au débarras de la maison de Hartford ! Ils auraient aussi bien pu se retrouver trente ans en arrière.

Il ne faut pas que je pense à cela.

Mais naturellement, à ce moment précis, il ne pouvait penser à rien d'autre.

Le débarras où j'ai découvert ce maudit singe dans cette même boîte.

Afin d'examiner une caisse de bois remplie de bibelots, Terry s'était éloignée en baissant la tête, car le toit était très en pente.

— Il ne me plaît pas, dit Petey en cherchant la main de Hal. Dennis n'a qu'à le prendre, s'il en a envie. On s'en va, papa ?

---

7. ⚠ **Dozen** ['dʌzn] est invariable si précédé d'un chiffre. **A dozen eggs, two dozen eggs ;** mais **dozens of eggs** *(des douzaines d'œufs).*
8. **Draft** (ou **draught** [dra:ft] **:** *courant d'air.* **Draught beer :** *bière à la pression.*
9. **I won't (I will not)** marque ici la volonté : *je ne veux pas.*
10. **Duck-walking :** litt. *marcher comme un canard* (en baissant la tête) ; sens dérivé : *esquiver.*
11. **Pitch :** *degré d'une pente, inclinaison, chute* (d'un toit).
12. **Felt for :** comme dans **to look for,** la prép. **for** implique l'idée d'une recherche.
13. **C'n : can.**

"Worried about ghosts, chickenguts [1]?" Dennis inquired.

"Dennis, you stop it," Terry said absently. She picked up a waferthin [2] cup with a Chinese pattern. "This is nice. This – "

Hal saw that Dennis had found the wind-up [3] key in the monkey's back. Terror flew through him on dark wings [4].

"Don't do that!"

It came out more sharply than he had intended, and he had snatched [5] the monkey out of Dennis's hands before he was really aware he had done it. Dennis looked around at him, startled. Terry had also glanced back over her shoulder, and Petey looked up. For a moment they were all silent, and the wind whistled again, very low this time, like an unpleasant invitation [6].

"I mean, it's probably broken," Hal said.

It used to be broken... except when it wanted [7] not to be.

"Well, you didn't have to *grab* [8]," Dennis said.

"Dennis, shut up."

Dennis blinked [9] and for a moment looked almost uneasy. Hal [10] hadn't spoken to him so sharply in a long time. Not since he had lost his job with National Aerodyne in California two years before and they had moved to Texas. Dennis decided not to push it... for now. He turned back to the Ralston-Purina carton and began to root through it again, but the other stuff was nothing but junk [11]. Broken toys bleeding [12] springs and stuffings.

The wind was louder now, hooting instead of whistling. The attic began to creak [13] softly, making a noise like footsteps.

---

1. **Chickenguts** : litt. *entrailles de poulet.* Expr. idiom. pour *poule mouillée.*
2. **Waferthin** : litt. *mince comme une gaufre.* Noter que le **w** saxon correspond parfois à notre **g**. Cf. **war** : *guerre* ; **warren** : *garenne* ; **wage** : *gage.*
3. **To wind** [waınd], **wound, wound** : *tourner, serpenter.* **To wind up** : *remonter* (une montre).
4. Litt. *la terreur vola à travers lui sur des ailes sombres.*
5. **To snatch** : *saisir rapidement, violemment.*
6. **Like an unpleasant invitation** : litt. *comme on siffle vulgairement qqn* (dans la rue, pour l'appeler).

— Tu as peur des fantômes, petit trouillard ? demanda Dennis.

— Arrête, Dennis, dit Terry d'un air distrait. » Elle saisit une tasse de porcelaine fine, ornée de dessins chinois. « Elle est jolie. Elle... »

Hal s'aperçut que Dennis avait trouvé le remontoir dans le dos du singe. Il fut frappé de terreur.

— Ne fais pas ça !

Ces paroles fusèrent avec une violence involontaire, et Hal arracha le singe des mains de Dennis sans se rendre compte de ce qu'il faisait. Stupéfait, Dennis fit volteface. Terry tourna aussi la tête et Petey leva les yeux. Ils restèrent muets pendant quelques secondes ; le sifflement du vent reprit, mais tout bas, comme une interpellation grossière.

— C'est parce que je crois qu'il ne marche plus, dit Hal.

Il ne marchait déjà plus jadis... sauf quand ça lui chantait.

— C'est pas une raison pour te *jeter sur moi*, dit Dennis.

— La ferme, Dennis.

Momentanément décontenancé, Dennis battit des paupières. Il y avait longtemps que Hal ne lui avait pas parlé aussi brutalement. En tout cas pas depuis qu'ils avaient quitté la Californie pour le Texas, deux ans auparavant, lorsqu'il avait perdu son emploi à la National Aerodyne. Dennis préféra ne pas insister... pour le moment. Il se retourna et se remit à fouiller dans le carton Omo, mais il ne restait que des objets sans intérêt. Des jouets brisés d'où se répandaient des ressorts et de la paille.

Le vent soufflait plus fort maintenant. Il ne sifflait plus, il ululait. Il y eut de petits grincements dans le grenier, qui ressemblaient à des bruits de pas.

---

7. Noter la construction de **to want** avec proposition infinitive.
8. **To grab :** *arracher brutalement.*
9. **To blink :** 1) *ciller, battre des paupières* ; 2) *clignoter.*
10. Hal occupait un emploi d'informaticien dans cette société d'aéronautique située à Fresno, entre San Francisco et Los Angeles.
11. **Junk :** *rebut, déchet.* **That's all junk** (ou **That's rubbish) :** *tout ça, c'est des bêtises.* **A junk dealer :** *un fripier.* **Junk heap :** US *dépotoir.* **Junk shop :** *boutique de ferrailleur.*
12. **To bleed, bled, bled :** *saigner.*
13. **To creak :** *grincer, craquer.*

"Please, Daddy?" Petey asked, only loud enough for his father to hear.

"Yeah," he said. "Terry, let's go."

"I'm not through with this [1] – "

"I said let's *go*."

It was her turn to look startled.

They had taken two adjoining rooms in a motel. By ten that night the boys were asleep in their room and Terry was asleep in the adults' room. She had taken two Valiums on the ride [2] back from the home place in Casco. To keep her nerves from giving her a migraine. Just lately [3] she took a lot of Valium. It had started around the time National Aerodyne had laid Hal off [4]. For the last two years he had been working for Texas Instruments [5] – it was $4,000 less a year, but it was work. He told Terry they were lucky. She agreed. There were plenty of software architects drawing unemployment, he said. She agreed. The company housing [6] in Arnette was every bit as good as the place in Fresno [7], he said. She agreed, but he thought her agreement to all of it was a lie [8].

And he was losing Dennis. He could feel the kid [9] going, achieving a premature escape velocity, so long, Dennis, bye-bye stranger, it was nice sharing this train with you. Terry said she thought the boy was smoking reefer [10]. She smelled [11] it sometimes. You have to talk to him, Hal. And *he* agreed, but so far he had not.

The boys were asleep. Terry was asleep. Hal went into the bathroom and locked the door and sat down on the closed lid of the john [12] and looked at the monkey.

---

1. **I'm not through with it,** ou **I'm not finished with it :** *je n'en ai pas fini.*
2. **To ride, rode, ridden :** *monter à cheval* ; par ext. : *faire un voyage en voiture.*
3. **Lately :** *récemment* ; **lastly :** *enfin.*
4. **Laid Hal off :** *laisser tomber, congédier.*
5. **Texas Instruments :** célèbre firme multinationale installée au Texas.

— Papa, s'il te plaît, implora Petey d'une voix à peine audible.

— Ouais, dit Hal. Allons-nous-en, Terry.

— Je n'ai pas fini de...

— Je t'ai dit *qu'on s'en allait.*

Elle parut surprise à son tour.

Ils avaient pris deux chambres communicantes dans un motel. Ce soir-là, à dix heures, les enfants et leur mère dormaient chacun dans la leur. En quittant la maison de Casco, Terry avait avalé deux Valium. Pour empêcher ses nerfs de lui donner la migraine. Depuis peu, elle prenait beaucoup de Valium. Elle avait commencé à l'époque où la National Aerodyne avait licencié Hal. Hal s'était fait embaucher chez Texas Instruments deux ans auparavant. Il gagnait 4 000 dollars de moins par an mais, au moins, il avait du travail. Il avait expliqué à Terry que c'était de la chance, car beaucoup de concepteurs de logiciels pointaient au chômage. Elle en convenait. Leur logement de fonction d'Arnette valait bien leur maison de Fresno, disait-il. Elle en convenait, mais il ne la croyait pas du tout convaincue.

En plus, il était en train de perdre Dennis. Il sentait son fils lui échapper en s'émancipant prématurément : adios, Dennis, bye-bye, l'inconnu, ce fut un plaisir de faire un bout de trajet avec toi. Terry disait qu'il devait fumer des joints. Elle en sentait quelquefois l'odeur. Il faut lui en parler, Hal. *Il* était bien d'accord mais, jusqu'ici, il n'en avait rien fait.

Les enfants dormaient. Terry aussi. Il alla dans la salle de bains, ferma la porte à clef, s'assit sur le couvercle de la cuvette des W.-C., et regarda le singe.

---

6. Logement de fonction fourni par la firme.
7. **Fresno :** cf. note 10, p. 15.
8. **A lie :** *un mensonge.* ⚠ **To lie, lied, lied :** *mentir* ; **To lie, lay, lain :** *être étendu.*
9. **Kid :** 1) *chevreau* ; 2) *gosse.*
10. **Reefer :** US, *cigarette de marijuana.*
11. **Smelled,** ou **smelt.**
12. **John** (fam. US), *W.-C.* ; GB : **the loss.**

He hated the way it felt [1], that soft brown nappy fur, worn bald [2] in spots. He hated its grin – *that monkey grins just like a nigger*, Uncle Will had said once, but it didn't grin like a nigger or like anything human. Its grin was all teeth, and if you wound up the key, the lips would [3] move, the teeth would seem to get bigger, to become vampire teeth, the lips would writhe [4] and the cymbals would bang, stupid monkey, stupid clockwork [5] monkey, stupid, stupid –

He dropped it. His hands were shaking and he dropped it.

The key clicked on the bathroom tile as it struck the floor. The sound seemed very loud in the stillness [6]. It grinned at him with its murky [7] amber eyes, doll's eyes, filled with idiot glee, its brass cymbals poised [8] as if to strike up [9] a march for some band [10] from hell. On the bottom the words MADE IN HONG KONG were stamped.

"You can't be here," he whispered. "I threw you down the well when I was nine."

The monkey grinned up at him.

Outside in the night, a black capful [11] of wind shook [12] the motel.

Hal's brother Bill and Bill's wife Collette met them at Uncle Will's [13] and Aunt Ida's the next day. "Did it ever cross your mind that a death in the family is a really lousy [14] way to renew the family connection?" Bill asked him with a bit of a grin. He had been named for Uncle Will. Will and Bill, champions of the rodayo [15], Uncle Will used to say, and ruffle Bill's hair.

---

1. **The way it felt :** litt. *la façon dont on le sentait avec la peau.*
2. **Worn bald. To wear** [weə], **wore, worn :** 1) *porter* (un habit) ; 2) *s'user.* **Bald :** *chauve.* Litt. *usé jusqu'à devenir chauve.* Noter cette constr. Cf. **He drank himself dead :** *il s'est tué à force de boire.*
3. **Would** indique ici la forme fréquentative.
4. **To writhe :** *se tortiller, se contorsionner.*
5. **Clockwork :** *rouage d'horloge, mécanisme à ressort.*
6. **Stillness,** de **still,** adj. **:** *calme, immobile, silencieux.*
7. **Murky :** *fuligineux, obscur.*
8. **Poised :** *tenu en équilibre.* Cf. **poise** [pɔɪz] **:** *aplomb, équilibre.*
9. **To strike up :** *attaquer* (un morceau de musique).

Flasque peluche toute dégarnie, le contact de cette fourrure marron lui répugnait. Il exécrait ce rictus ; « *ce singe a un sourire de nègre* », avait un jour dit l'oncle Will ; mais ce n'était pas vrai : ce rictus n'avait rien d'humain. Il souriait de toutes ses dents : si on le remontait, les lèvres s'agitaient, les dents se dilataient en crocs de vampire, les lèvres grimaçaient et les cymbales retentissaient ; imbécile de singe ! Imbécile de singe mécanique ! Quel imbécile ! Quel imbécile !

Hal le lâcha. Les mains tremblantes, il le lâcha.

En heurtant le sol, la clef retentit sur le carrelage de la salle de bains. Elle résonna très fort dans le silence. Le singe lui sourit avec ses yeux d'ambre ténébreux, ces yeux de poupée emplis d'une allégresse idiote, et il tenait ses cymbales en suspens comme pour attaquer une marche avec un orchestre diabolique. Les mots MADE IN HONG KONG étaient inscrits sous ses pieds.

— Mais c'est impossible que tu sois là, murmura Hal. Je t'ai jeté dans le puits quand j'avais neuf ans.

Le singe lui souriait.

Dehors, dans la nuit, une bourrasque noire secoua le motel.

Bill, le frère de Hal, et Colette, la femme de Bill, les rejoignirent le lendemain chez l'oncle Will et la tante Ida. « Tu ne trouves pas lamentable qu'il faille un deuil pour renouer les liens de famille ? demanda Bill avec un vague sourire. » On l'avait nommé Bill à cause de l'oncle Will : Will et Bill, champions de rodayo, disait l'oncle Will en lui ébouriffant les cheveux.

---

10. Band : *orchestre de cuivres, fanfare* ≠ **orchestra** ['ɔːkəstrə] : *orchestre (symphonique).*

11. Capful : litt. *une pleine casquette* ; **a capful of wind :** *une bouffée de vent.* Cf. **a plateful of soup :** *une assiette de soupe.*

12. To shake, shook, shaken : *secouer.*

13. Trad. de *chez* par le cas possessif incomplet (s.e. **home**). Cf. **I went to the butcher's** (s.e. **shop**) ; **St John's** (s.e. **church**).

14. Lousy ['laʊsɪ] : litt. *pouilleux.* De **louse,** plur. **lice :** *pou.* Dans le langage courant, **lousy** signifie généralement *minable, lamentable.*

15. Rodayo : prononciation humoristique de **rodeo.**

It was one of his sayings... like the wind can whistle but it can't carry a tune. Uncle Will had died six years before, and Aunt Ida had lived on here alone, until a stroke had taken her just the previous week. Very sudden, Bill had said when he called long distance [1] to give Hal the news. As if he could know; as if anyone could know. She had died alone.

"Yeah [2]," Hal said. "The thought crossed my mind."

They looked at the place together, the home place where they had finished growing up. Their father, a merchant [3] mariner, had simply disappeared as is from the very face of the earth when they were young; Bill claimed [4] to remember him vaguely, but Hal had no memories of him at all. Their mother had died when Bill was ten and Hal eight. Aunt Ida had brought them here on a Greyhound [5] bus which left from Hartford, and they had been raised [6] here, and gone to college [7] from here. This had been the place they were homesick for. Bill had stayed in Maine and now had a healthy law practice in Portland [8].

Hal saw that Petey had wandered off toward the blackberry tangles [9] that lay on the eastern side of the house in a mad jumble [10]. "Stay away from there, Petey," he called.

Petey looked back, questioning. Hal felt simple love for the boy rush him... and he suddenly thought of the monkey again.

"Why, Dad?"

"The old well's [11] back there someplace," Bill said. "But I'll be damned if I remember just where. Your dad's right, Petey — it's a good place to stay away from. Thorns'll do a job on you [12]. Right, Hal?"

---

1. **Long distance call :** *appel téléphonique interurbain* ; *donner un coup de téléphone interurbain* : **to call long distance**, ou **to make a long distance call**.
2. **Yeah :** pron. US de **yes**.
3. **Merchant navy :** *marine marchande*. Employé seul, **navy** signifie toujours *la marine de guerre*. Cf. **the Royal navy**.
4. **To claim :** litt. *revendiquer*.
5. **Greyhound :** *lévrier*. **Greyhound bus :** la plus grande compagnie d'autocars US.
6. **To raise, ed, ed** (tr.) **:** 1) *lever, soulever* ; 2) *élever* (un enfant). Cf. **to breed, bred, bred :** *élever* (un animal). ⚠ ≠ **to rise, rose, risen** (intr.) **:** *se lever*.
7. ⚠ **College :** US, *établissement d'enseignement supérieur de 1er*

C'était l'une de ses formules... tout comme « le vent sait siffler, mais il ne sait pas jouer un air ». L'oncle Will était mort six ans plus tôt, et la tante Ida était restée là toute seule, jusqu'à l'attaque qui l'avait terrassée une semaine plus tôt. Mort soudaine, avait dit Bill lorsqu'il avait appelé Hal au Texas pour lui annoncer la nouvelle. Comme s'il pouvait savoir, comme si quiconque pouvait savoir. Personne ne se trouvait là au moment de sa mort.

— Ouais, dit Hal. C'est bien mon avis.

Ils regardaient ensemble cette demeure où ils avaient passé la fin de leur enfance. Leur père, qui naviguait dans la marine marchande, avait disparu de la face de la terre quand ils étaient petits. Bill prétendait se souvenir vaguement de lui, mais Hal l'avait complètement oublié. A la mort de leur mère, Bill avait dix ans, et Hal huit. La tante Ida était allée les chercher à Hartford en car Greyhound ; c'est ici qu'ils avaient été élevés, jusqu'à leur départ pour l'université. C'est ce lieu qui leur avait inspiré de la nostalgie. Bill était resté dans le Maine ; installé à Portland, il avait acquis une solide compétence juridique.

Hal aperçut Petey qui s'était aventuré à l'est de la maison, là où poussait une jungle de ronciers inextricables. « Ne va pas par là, Petey », s'écria-t-il.

Petey se retourna, l'air perplexe. Hal sentit monter en lui une bouffée d'amour paternel... et brusquement le singe lui revint à l'esprit.

— Pourquoi, papa ?

— Le vieux puits se trouve dans les parages, dit Bill. Mais je serais bien incapable d'en indiquer l'emplacement exact. Ton papa a raison, Petey : mieux vaut éviter d'aller par là. Tu vas te faire amocher par les épines. N'est-ce pas, Hal ?

---

cycle ; GB, *subdivision d'une université* (Cf. **King's College** à Oxford). ⚠ *Un collège* : **a school**.

8. **Portland :** principale ville du **Maine**, État le plus septentrional de la **Nouvelle-Angleterre**, situé sur la côte atlantique, à la frontière du **Canada**.

9. **Tangle :** *emmêlement* (de fils, de cheveux) ; *fouillis*.

10. **Jumble** [dʒʌml] **:** *méli-mélo*. La redondance et l'allitération avec **tangle** produit un effet de style et renforce l'idée de fouillis inextricable.

11. **Well :** *puits* (où on puise de l'eau, du pétrole, etc.). ≠ **a pit :** *puits de mine*.

12. **Do a job on you :** fam. Litt. *veut te travailler*.

"Right," Hal said automatically. Petey moved away, not looking back, and then started down the embankment [1] toward the small shingle [2] of beach where Dennis was skipping [3] stones over the water. Hal felt something in his chest loosen [4] a little.

Bill might [5] have forgotten where the old well was, but late that afternoon Hal went to it unerringly, shouldering [6] his way through the brambles that tore [7] at his old flannel jacket and hunted for his eyes. He reached it and stood there, breathing hard, looking at the rotted, warped boards that covered it. After a moment's debate, he knelt [8] on his knees, fired twin pistol shots [9] and moved two of the boards aside.

From the bottom of that wet, rock-lined throat a drowning [10] face stared up at him, wide eyes, grimacing mouth. A moan escaped him. It was not loud, except in his heart. There it had been very loud.

It was his own face in the dark water.

Not the monkey's [11]. For a moment he had thought it was the monkey's.

He was shaking. Shaking all over [12].

I threw it down the well. I threw it down the well, please God don't let me be crasy, 'I threw it down the well.

The well had gone dry [13] the summer Johnny McCabe died, the year after Bill and Hal came to stay with Uncle Will and Aunt Ida. Uncle Will had borrowed money from the bank to have an artesian well sunk [14], and the blackberry tangles had grown up around the old dug well. The dry well.

Except the water had come back. Like the monkey.

---

1. **Embankment :** *rive* (d'une rivière ou d'un lac). **The embankment of the Thames** [temz] **:** *les quais de la Tamise.*
2. **Shingle :** *galet.*
3. **To skip :** 1) *sautiller, gambader.* **To skip from one subject to another :** *sauter d'un sujet à l'autre* ; 2) *omettre* (*sauter sur, faire l'impasse*) ; ex. **He skipped a whole chapter of the book**.
4. **To loosen** ['lu:sen] **:** *se relâcher.* De **loose** ['lu:s] **:** *détendu, lâche.* ⚠ **To lose** [lu:z] **:** *perdre.*
5. **Might :** idée d'éventualité.
6. **Shoulder :** *épaule.* **To shoulder one's way :** *se frayer un chemin* (avec l'épaule).

— Oui, dit machinalement Hal.

Sans se retourner, Petey changea de direction et longea la rive en direction de la petite plage de galets où Dennis sautait sur les rochers dans l'eau. La gorge de Hal se dénoua un peu.

Bill avait peut-être oublié l'emplacement du puits, mais à la fin de l'après-midi Hal s'y dirigea sans hésiter, en se frayant un passage parmi les ronces qui s'accrochaient à sa vieille veste de flanelle et cherchaient ses yeux. Lorsqu'il y parvint, il demeura immobile ; le cœur battant, il contempla les planches pourries et gauchies qui le recouvraient. Au bout de quelques instants de tergiversation, il tomba à genoux (ce fut comme s'il recevait deux coups de pistolet dans les rotules), et écarta deux planches.

A demi immergé au fond de ce gosier tapissé de pierres humides, un visage aux yeux démesurés et à la bouche grimaçante le dévisageait. Hal laissa échapper un faible gémissement qui ne résonna vraiment que dans son cœur. Mais là, il retentit très fort.

Dans l'eau noire, il voyait son propre visage.

Pas celui du singe. Il avait cru un instant que c'était celui du singe.

Il tremblait. Il tremblait de tous ses membres.

Je l'ai jeté dans le puits. Je l'ai jeté dans le puits. Mon Dieu, préservez-moi de la folie. Je l'ai jeté dans le puits.

Le puits s'était asséché l'été de la mort de Johnny McCabe, un an après l'installation de Bill et de Hal chez l'oncle Will et la tante Ida. L'oncle Will avait fait un emprunt à la banque pour aménager un puits artésien, et un fouillis de ronces avait poussé autour de l'ancien puits. Du puits tari.

Seulement l'eau était revenue. Et le singe aussi.

---

7. **To tear** [tɛə], **tore, torn :** *déchirer*. Noter l'importance de la prép. **at** qui transforme le sens (idée de *tentative hostile*).
8. **To kneel, knelt, knelt :** *s'agenouiller*.
9. Litt. *ses genoux tirèrent deux coups de pistolet.*
10. **To drown** [draʊn] **:** *se noyer*.
11. S.e. **face**.
12. **All over :** litt. *sur toute la surface* (de son corps).
13. **To go dry** (ou **to dry up**) **:** *s'assécher*. Cf. **to go mad :** *devenir fou*.
14. **To sink, sank, sunk :** 1) v.i. *couler* ; 2) v.t. *creuser* (cf. **to dig, dug, dug**).

This time the memory would not be denied. Hal sat there helplessly[1], letting it come, trying to go with it, to ride it like a surfer riding a monster wave that will crush him if he falls off his board, just trying to get through it so it would be gone again.

He had crept[2] out here with the monkey late that summer, and the blackberries had been out, the smell of them thick and cloying[3]. No one came in here to pick[4], although Aunt Ida would sometimes stand at the edge of the tangles and pick a cupful[5] of berries[6] into her apron. In here the blackberries had gone past ripe[7] to overripe, some of them were rotting, sweating[8] a thick white fluid like pus, and the crickets sang maddeningly in the high grass underfoot[9], their endless cry : *Reeeeee* –

The thorns tore at him, brought dots[10] of blood onto his cheeks and bare arms. He made no effort to avoid their sting. He had been blind with terror – so blind that he had come within inches of stumbling[11] onto the rotten boards that covered the well, perhaps within inches[12] of crashing thirty feet to the well's muddy bottom. He had pinwheeled[13] his arms for balance[14], and more thorns had branded[15] his forearms. It was that memory that had caused him to call Petey back sharply.

That was the day Johnny McCabe died – his best friend. Johnny had been climbing the rungs up to his treehouse in his backyard. The two of them had spent many hours up there that summer, playing pirate, seeing make-believe[16] galleons[17] out on the lake, unlimbering the cannons, reefing the stuns'l (whatever *that* was)[18], preparing to board.

---

1. Litt. *resta assis désemparé.*
2. **To creep, crept, crept :** *ramper.* **A creeper :** *une plante grimpante.*
3. **To cloy :** *rassasier, écœurer.*
4. **To pick :** *cueillir, ramasser.*
5. **A cupful :** cf. note 11, p. 19.
6. **Berry :** *une baie.* Cf. **raspberry** (*framboise*), **strawberry** (*fraise*), **myrtleberry** (*myrtille*), **gooseberry** (*groseille à maquereau*).
7. **Ripe** (adj.) **:** *mûr.* Le préfixe **over** indique l'idée d'excès. Cf. **Don't overdo it :** *n'exagérez pas* ; cf. *une overdose.*
8. **To sweat** [swet] **:** *suer.* Cf. **sweat-shirt** [swetʃə:t]. ⚠ *Transpirer* : **to perspire** ['pə:spaɪə].
9. **Underfoot :** adv. (**under his feet**).

Cette fois, impossible de censurer ce souvenir. C'était plus fort que lui : il le laissa se dérouler et s'efforça de l'accompagner, de le chevaucher, tel un surfer chevauchant une vague monstrueuse qui l'écraserait s'il perdait l'équilibre, et ne pensant qu'à tenir bon jusqu'à ce qu'elle retombe.

A la fin de cet été lointain, il s'était traîné jusqu'ici avec le singe ; c'était la saison des mûres : leur parfum dense saturait l'air. Personne ne les cueillait ; seule, tante Ida venait parfois au bord des buissons pour en récolter une poignée dans son tablier. Ces fruits étaient trop mûrs ; il y en avait des pourris d'où suintait un épais liquide blanc, comme du pus et, par terre, dans les hautes herbes, les grillons égrenaient sans relâche leur litanie obsédante : *criii...*

Il se faisait griffer par les épines ; le sang perlait sur ses joues et ses bras nus. Il ne faisait rien pour éviter les piqûres. Aveuglé par la terreur, il avait failli trébucher sur les planches pourries qui recouvraient le puits, au risque de faire une chute de dix mètres et de s'écraser tout au fond, dans la boue. Il avait écarté les bras pour rétablir son équilibre, s'exposant ainsi à de nouvelles égratignures. C'est au souvenir de cet épisode qu'il avait rappelé Petey si brusquement.

Le même jour, Johnny McCabe, son meilleur ami, s'était tué. Dans son arrière-cour, celui-ci avait une maison dans un arbre à laquelle on accédait par une échelle. Cet été-là, ils y avaient passé de nombreuses heures ensemble à jouer aux pirates : ils repéraient des galions imaginaires sur le lac, mettaient les canons en batterie, prenaient des ris dans la bonnette (sans savoir ce que *cela* voulait dire), se préparaient à l'abordage.

---

10. **Dot :** *point, petite tache.* **A spot :** *une tache plus grande.* **A stain :** *une tache d'encre, de graisse,* etc. (idée de salissure).
11. **To stumble** [stʌml] **:** *trébucher.*
12. **Within inches... bottom :** litt. *à quelques pouces de s'écraser à trente pieds au fond du puits bourbeux.*
13. **Pinwheel** (subst.) **:** *roue des chevilles* ; sous forme verbale, le terme suggère que **Hal** a mis les bras en croix.
14. **Balance :** *équilibre.* **Scales :** *une balance.*
15. **To brand :** litt. *marquer au fer rouge.*
16. **Make-believe** (adj.) **:** *imaginaire, factice.*
17. ['gæljən].
18. Litt. *quoi que ce fût.*

Johnny had been climbing up to the treehouse as he had done a thousand times before, and the rung just below the trapdoor in the bottom of the treehouse had snapped [1] off in his hands and Johnny had fallen thirty feet to the ground and had broken his neck and it was the monkey's fault, the monkey, the goddam hateful monkey. When the phone rang, when Aunt Ida's mouth dropped open [2] and then formed an O of horror as her friend Milly from down the road told her the news, when Aunt Ida said, "Come out on the porch [3], Hal, I have to tell you some bad news – " he had thought with sick horror, *The monkey ! What's the monkey done now ?*

There had been no reflection [4] of his face trapped at the bottom of the well the day he threw the monkey down, only stone cobbles [5] and the stink [6] of wet mud. He had looked at the monkey lying there on the wiry [7] grass that grew between the blackberry tangles, its cymbals poised, its grinning teeth huge between its splayed [8] lips, its fur rubbed away in balding, mangy [9] patches here and there, its glazed [10] eyes.

"I hate you," he hissed [11] at it. He wrapped his hand [12] around its loathsome body, feeling the nappy fur crinkle. It grinned at him as he held it up in front of his face. "Go on!" he dared [13] it, beginning to cry for the first time that day. He shook it. The poised cymbals trembled minutely [14]. The monkey spoiled everything good. Everything. "Go on, clap them! Clap them!"

The monkey only grinned.

"Go on and clap them!" His voice rose hysterically. "*Fraidycat* [15], *fraidycat, go on and clap them! I dare you! DOUBLE DARE YOU!*"

---

1. **To snap :** *se casser net* ; **to snap one's finger :** *claquer du doigt.*
2. Litt. *tomba ouverte.*
3. **Porch :** *véranda, terrasse* située devant les portes d'entrée des maisons individuelles US à la campagne et dans les petites villes.
4. ⚠ **Reflection :** *reflet* ≠ **reflexion :** *réflexion.*
5. **Cobble stone :** *galet, pavé.*
6. **To stink, stank, stunk :** *puer.* Le substantif correspondant est généralement **stench :** *puanteur.*
7. **Wire :** *fil de fer* ; **wiry :** *filiforme.*
8. **Splay :** *embrasure, évasement, chanfrain.*

Pour la énième fois, Johnny avait grimpé à l'échelle et, sous la trappe du plancher de la maison, un barreau s'était brisé dans ses mains ; il avait fait une chute de dix mètres et s'était rompu le cou, tout ça à cause de ce sale singe, de ce maudit singe. Lorsque le téléphone sonna, lorsque la bouche de tante Ida s'ouvrit pour pousser une exclamation d'horreur en entendant sa voisine Milly lui annoncer la nouvelle, lorsque tante Ida dit : « Viens sur la véranda, Hal, j'ai une mauvaise nouvelle... », il fut saisi d'effroi en pensant : *Le singe ! Qu'est-ce que le singe a encore fait ?*

Le jour où il avait jeté le singe au fond du puits, il n'y avait pas le reflet de son visage piégé, mais seulement des cailloux et la boue nauséabonde. Il avait regardé le singe étendu dans le fouillis de ronces hérissé d'herbes, cymbales en suspens, les lèvres entrebâillées dans un rictus qui découvrait ses énormes dents, avec sa piteuse fourrure tout élimée, toute galeuse, et ses yeux vitreux.

— Je te hais, lui chuchota-t-il entre ses dents.

Il s'empara de ce corps exécré et sentit la peluche se froisser sous ses doigts. Il brandit le singe et celui-ci ne se départit pas de son sourire.

— Vas-y », lança Hal d'un ton de défi, en se mettant à pleurer pour la première fois de la journée. Il secoua l'animal. Les cymbales en suspens frémirent imperceptiblement. Ce singe gâchait tout ce qu'il y avait de bien. Tout.

— Vas-y ! Donne des coups de cymbales ! Vas-y !

Le singe se contentait de sourire.

— Vas-y ! Vas-y ! criait Hal d'un ton hystérique. *Bisse, bisse la carotte ! Cogne-les donc ! Chiche ! T'ES PAS CHICHE !*

---

9. **Mangy** ['mæŋgɪ] : *galeux.*
10. **Glaze :** *vernis, lustre.*
11. **To hiss :** *siffler* (comme un serpent) ; ≠ **to whistle** [whisl].
12. Litt. *enveloppa ses mains.*
13. **Dare, durst**, ou **to dare, ed, ed :** 1) *oser* ; 2) *défier* (Cf. **to challenge**).
14. **Minutely** ['maɪnju:tli] : litt. *minutieusement.* **Minute** ['maɪnju:t] : *minutieux* ≠ **minute** ['mɪnɪt] : *minute.*
15. **Fraidy cat :** fragment de comptine.

Its brownish-yellow[1] eyes. Its huge gleeful teeth.

He threw it down the well then, mad with grief[2] and terror. He saw it turn over once on its way down, a simian acrobat doing a trick[3], and the sun glinted one last time on those cymbals. It struck the bottom with a thud, and that must have jogged its clockwork, for suddenly the cymbals *did* begin to beat. Their steady, deliberate[4], and tinny banging rose to his ears, echoing and fey[5] in the stone throat of the dead well: *jang-jang-jang-jang* –

Hal clapped his hands over his mouth, and for a moment he could see it down there, perhaps only in the eye of imagination... lying there in the mud, eyes glaring[6] up at the small circle of his boy's face peering[7] over the lip of the well[8] (as if marking that face forever), lips expanding and contracting around those grinning teeth, cymbals clapping, funny wind-up monkey.

Jang-jang-jang-jang, who's dead? Jang-jang-jang-jang, is it Johnny McCabe, falling with his eyes wide, doing his own acrobatic somersault as he falls through the bright summer vacation air with the splintered[9] rung still held in his hands to strike the ground with a single bitter snapping sound, with blood flying[10] out of his nose and mouth and wide eyes? Is it Johnny, Hal? Or is it you?

Moaning, Hal had shoved[11] the boards across the hole, getting splinters in his hands, not caring, not even aware of them until later. And still he could[12] hear it, even through the boards, muffled[13] now and somehow all the worse[14] for that: it was down there in stone-faced dark, calpping its cymbals and jerking[15] its repulsive body, the sound coming up like sounds heard in a dream.

---

1. Noter le caractère péjoratif du suffixe **ish. Yellowish :** *jaunâtre.*
2. ⚠ **Grief** [griːf] **:** *la douleur.*
3. **A trick :** *un truc, un numéro.*
4. ⚠ **Deliberate** [dɪ'lɪbərɪt] **:** *réfléchi, circonspect* ; *lent, sans hâte.*
5. **Fey :** *sur le point de mourir.*
6. **To glare** [glɛə] **:** 1) *briller d'un éclat éblouissant* ; 2) **to glare at sb.**, *lancer un regard furieux à qqn.*
7. **To peer** [pɪə] **:** *scruter.*
8. Litt. *la lèvre du puits.* ⚠ **margin :** *margelle.*

Ces yeux caca d'oie. Ces énormes dents jubilatoires.

Il le jeta dans le puits, fou de terreur et de douleur. Il le vit tomber en tournoyant sur lui-même, tel un acrobate simiesque exécutant un saut périlleux ; un ultime rayon se refléta sur les cymbales. Le singe toucha le fond avec un bruit mat ; le mécanisme dut se déclencher car, soudain, les cymbales *se mirent à battre* sans hâte, régulièrement : des coups métalliques dont l'écho s'évanouissait dans le gosier maçonné du puits tari : *ding, ding, ding, ding...*

Il plaqua ses mains sur sa bouche. Est-ce avec l'œil de l'imagination qu'il l'entrevit tout au fond, gisant dans la boue ? Comme pour lui imprimer une marque indélébile, le drôle de singe mécanique lançait un regard menaçant sur le petit cercle de son visage d'enfant penché au-dessus de la margelle pour scruter le puits ; au rythme des cymbales, ses lèvres se dilataient et se contractaient sur ses dents, dans un grand rictus.

Ding, ding, ding, ding, qui est mort ! Ding, ding, ding, ding, est-ce Johnny McCabe qui tombe les yeux béants, en exécutant un saut périlleux acrobatique dans l'air lumineux des vacances ? Le barreau qu'il a gardé dans les mains se brise net avec un craquement sinistre en heurtant le sol ; des flots de sang se déversent de son nez, de sa bouche et de ses yeux béants. Est-ce Johnny, Hal ? Ou est-ce toi *?*

Hal avait replacé les planches sur le trou en gémissant, sans se soucier des échardes qui se fichaient dans ses mains : sur le coup, il ne les sentit même pas. Mais le bruit continuait à lui parvenir malgré les planches, étouffé mais encore plus horrible ; au fond de la maçonnerie ténébreuse, le corps abject se dandinait au rythme des cymbales ; il l'entendait comme dans un rêve.

---

9. **Splinter :** *écharde, éclat de bois.* **To splinter :** *briser en éclats, voler en éclats.*
10. **To fly, flew, flown :** 1) *voler* ; 2) *s'échapper.* On pourrait dire aussi : **"with blood running out of his nose"**
11. **To shove** [ʃʌv] **:** *pousser, bousculer.*
12. Noter l'emploi fréquent du défectif **can** devant les verbes sensoriels.
13. **Muffle** [mʌfl] **:** *étouffer* (un bruit). Cf. **to stifle**.
14. **All the** + comparatif **:** *d'autant plus.*
15. **To jerk** [dʒə:k] **:** *secouer.*

Jang-jang-jang-jang, who's dead this time?

He fought and battered[1] his way back through the blackberry creepers[2]. Thorns stitched[3] fresh lines of welling[4] blood briskly[5] across his face and burdocks caught in the cuffs[6] of his jeans, and he fell full-lenght once, his ears still jangling[7], as if it had followed him. Uncle Will found him later, sitting on an old tire in the garage and sobbing, and he had thought Hal was crying for his dead friend. So he had been; but he had also cried in the aftermath[8] of terror.

He had thrown the monkey down the well in the afternoon. That evening, as twilight crept in through a shimmering[9] mantle of ground-fog, a car moving too fast for the reduced visibility had run down Aunt Ida's Manx cat in the road and gone right on. There had been guts everywhere, Bill had thrown up[10], but Hal had only turned his face away, his pale, still face, hearing Aunt Ida's sobbing (this on top of the news about the McCabe boy had caused a fit[11] of weeping that was almost hysterics, and it was almost two hours before. Uncle Will could calm her completely) as if from miles away[12]. In his heart there was a cold and exultant joy. It hadn't been his turn. It had been Aunt Ida's Manx, not him, not his brother Bill or his Uncle Will (just two champions of the rodayo). And now the monkey was gone, it was down the well, and one scruffy[13] Manx cat with ear mites was not too great a price to pay. If the monkey wanted to clap its hellish cymbals now, let it. It could clap and clash[14] them for the crawling bugs[15] and beetles[16], the dark things that made their home in the well's stone gullet[17]. It would rot down there.

---

1. **To batter** : *battre en brèche* ; **to batter at the door** : *frapper avec violence à la porte.*
2. **Creeper** : cf. note 6, p. 24.
3. **A stitch** : *une couture.* **Thorns... lines** : litt. *les épines couturaient* (son visage) *de nouvelles rayures.*
4. **To well** : *jaillir.*
5. **Brisk** : *vif.*
6. **Cuffs** : *revers, manchettes.* Cf. **cuff links** : *boutons de manchette.*
7. **To jangle** [dzængl] : *produire des sons discordants.*
8. **Aftermath** : *suite* (d'un événement). **The aftermath of the war** : *les séquelles de la guerre.*

Ding, ding, ding, ding. Qui est mort cette fois-ci ?

Hal se frayait un passage à travers les ronces. Son visage était couturé de traînées de sang et des teignes s'accrochaient aux revers de son jean ; à un moment, il s'étala de tout son long, poursuivi par les coups de cymbales qui continuaient à lui résonner dans la tête. Plus tard, oncle Will le trouva dans le garage, assis sur un vieux pneu, et crut qu'il sanglotait à cause de la mort de son camarade. Il avait partiellement raison, mais c'était aussi une réaction consécutive à sa panique.

Hal avait jeté le singe dans le puits l'après-midi. Le même soir, au crépuscule, une nappe de brouillard aux reflets changeants réduisait la visibilité ; une voiture qui roulait trop vite écrasa Manx, le chat de tante Ida, et poursuivit sa route. Il y avait des boyaux partout ; Bill avait vomi, mais Hal avait seulement détourné son visage pâle et silencieux en entendant comme dans un rêve sangloter tante Ida ; après cet accident, qui venait s'ajouter à l'annonce de la mort du petit McCabe, celle-ci était au bord de l'hystérie, et l'oncle Will mit près de deux heures à l'apaiser. Au fond de lui-même, Hal exultait d'une joie froide. Ça n'avait pas été son tour, mais celui de Manx, le chat de tante Ida ; ni son tour, ni celui de son frère Bill ou de l'oncle Will (ces deux champions du rodayo). Désormais, le singe avait disparu au fond du puits, et Manx, ce vilain chat aux oreilles mitées, ce n'était pas trop cher payer. Libre au singe d'entrechoquer ses cymbales diaboliques si le cœur lui en disait. Qu'il les cogne tout son saoul au bénéfice des cafards et des cloportes, ces créatures qui rampent dans le goulet ténébreux du puits de pierre où ils élisent domicile. C'est là qu'il allait pourrir.

---

9. **To shimmer :** *miroiter.*
10. **To throw up :** *vomir.*
11. **A fit :** *une crise, un accès.*
12. Litt. *comme s'ils provenaient d'une distance de plusieurs miles.*
13. **Scruffy :** *mal soigné.*
14. **Clap and clash :** redondance onomatopéique.
15. **Bug :** 1) GB, *punaise* ; US, *cafard* ; 2) *micro espion.*
16. **Beetle :** *coléoptère, scarabée.*
17. **Gullet :** 1) *œsophage, gosier* ; 2) *goulet, défilé.*

Its loathsome [1] cogs and wheels [2] and springs would rust dow there. It would die down there. In the mud and the darkness. Spiders would spin [3] it a shroud.

But... it had come back.

Slowly, Hal covered the well again, as he had on that day, and in his ears he heard the phantom [4] echo of the monkey's cymbals: *Jang-jang-jang-jang, who's dead, Hal? Is it Terry? Dennis? Is it Petey, Hal? He's your favorite, isn't he, Is it him? Jang-jang-jang –*

"Put that *down*!"

Petey flinched [5] and dropped the monkey, and for one nightmare [6] moment Hal thought that would do it, that the jolt [7] would jog its machinery and the cymbals would begin to beat and clash.

"Daddy, you scared me."

"I'm sorry. I just... I don't want you to play with that [8]."

The others had gone to see a movie [9], and he had thought he would beat them back to the motel. But he had stayed at the home place longer than he would have guessed; the old, hateful memories seemed to move in their own eternal time zone.

Terry was sitting near Dennis, watching *The Beverly Hillbillies* [10]. She watched the old, grainy [11] print with a steady, bemused [12] concentration that spoke of a recent Valium pop [13].

---

1. **To loathe :** *détester, exécrer.* **To be loath to do sth. :** *avoir de la répugnance à faire qqch.* **Loathsome :** *écœurant, répugnant.*
2. **Cogs and wheels and springs :** répétition ternaire (effet de style) ; **cog** *(rouage)* et **wheel** *(roue)* sont redondants et alourdiraient inutilement la traduction.
3. **To spin, spun, spun :** *tisser.*
4. **Phantom :** *fantôme, spectre.* Le mot saxon **ghost** est plus usité.
5. **To flinch :** *reculer, défaillir ; tressaillir* (de douleur).
6. **Nightmare :** *cauchemar* ; **nightmarish :** *cauchemardesque.*
7. **Jolt :** *cahot, secousse ; surprise, choc.* Cf. **jerk.**
8. **I don't want you to play with that :** noter la construction de **to want** (et des verbes indiquant une idée de désir) avec la proposition infinitive. Cf. **She wishes me to go to the movies.**

C'est là qu'allaient rouiller ses rouages et ses ressorts. C'est là qu'il allait crever. Dans la boue et l'obscurité. Les araignées lui tisseraient un suaire.

Et pourtant... il était revenu.

Lentement, Hal recouvrit le puits, et il perçut l'écho fantasmatique des cymbales du singe. *Ding, ding, ding, ding, qui est mort, Hal ? Terry ? Dennis ? Petey ? C'est ton fils préféré, n'est-ce pas, Hal ? Est-ce lui ? Ding, ding, ding...*

— Lâche ça !

Petey laissa tomber le singe avec un mouvement de recul ; un instant, Hal eut l'impression cauchemardesque que ça y était ; que le mécanisme allait se déclencher sous le choc, et que les cymbales se mettraient à battre et à retentir.

— Tu m'as fait peur, papa.

— Excuse-moi... Je ne veux pas que tu joues avec ça... C'est tout...

Les autres étaient allés au cinéma, et Hal avait pensé rentrer au motel avant eux. Mais il s'était davantage attardé dans sa maison d'enfance qu'il ne l'avait escompté ; les vieux souvenirs abhorrés semblaient évoluer sur leur propre territoire d'éternité.

Assise à côté de Dennis, Terry regardait *The Beverly Hillbillies*. Elle se concentrait sur la vieille copie rayée avec un air hébété qui révélait qu'elle venait de prendre un Valium.

---

9. **Movie** : *film* (US) ; GB : **picture.** *Aller au cinéma* : (US) **To go to the movies** ; (GB) **To go to the pictures.**
10. **The Beverly Hillbillies** : célèbre émission de télévision américaine. **Beverly Hills** est le quartier le plus chic de Los Angeles. Les **hillbillies** sont des habitants très pauvres des parties les plus isolées des **Appalaches.**
11. **Grainy** : litt. *grenu.*
12. **Bemused** : *stupéfait, troublé.* De **to muse** : *rêvasser.*
13. **Pop** : litt. *bruit sec* (d'un bouchon qui saute) ; par ext. *action* ou *geste rapide.* Cf. **To pop over to the grocer's** : *faire un saut chez l'épicier.* Ici, Terry a avalé un Valium (litt. *en se le jetant dans la gorge et en l'ingurgitant brusquement*).

Dennis was reading a rock magazine with Culture Club [1] on the cover. Petey had been sitting cross-legged on the carpet goofing [2] with the monkey.

"It doesn't work anyway," Petey said. ***Which explains why Dennis let him have it,*** Hal thought, and then felt ashamed and angry at [3] himself. He felt this uncontrollable hostility toward Dennis more and more often, but in the aftermath he felt demeaned and tacky... helpless.

"No," he said. "It's old. I'm going to throw it away. Give it to me."

He held out his hand [4] and Peter, looking troubled, handed it over [5].

Dennis said to his mother, "Pop's [6] turning into [7] a friggin [8] schizophrenic."

Hal was across the room even before he knew he was going, the monkey in one hand, grinning as if in approbation. He hauled Dennis out of his chair by the shirt. There was a purring sound as a seam cam adrift somewhere [9]. Dennis looked almost comically shocked. His copy [10] of *Rock Wave* [11] fell to the floor.

"Hey!"

"You come with me," Hal said grimly, pulling his son toward the door to the connecting room.

"Hal!" Terry nearly screamed. Petey just goggled [12].

Hal pulled Dennis through. He slammed [13] the door and then slammed Dennis against the door. Dennis was starting to look scared. "You're getting a mouth problem," Hal said.

"Let *go* of me [14]! You tore [15] my shirt, you – "

---

1. **Culture Club :** groupe rock.
2. **Goof :** US, *grand dadais ; une gaffe.* **To goof :** US, *faire une gaffe ; accomplir une action sans y penser.*
3. **Angry at,** ou **angry with. At** indique l'agressivité.
4. **He held out his hand :** *il tendit la main.*
5. **To hand over :** *remettre.*
6. **Pop :** fam. pour *papa,* ou **dad, daddy.**
7. **Into** utilisé pour indiquer l'idée de transformation : **he grew into a man :** *il est devenu un homme.*
8. **Frigging :** argot US. Déformation de **fucking** (litt. *foutu,* de **to fuck :** *forniquer, baiser*).
9. **There was... somewhere :** litt. *Il y eut un bruit de ronronne-*

Dennis lisait un magazine de rock avec le « Culture Club » en couverture. Assis en tailleur sur le tapis, Petey s'amusait depuis un moment avec le singe.

— De toute manière, il ne marche pas, fit Petey.

Voilà pourquoi Dennis le lui a laissé, se dit Hal. Puis il eut honte et s'en voulut. Il lui arrivait de plus en plus souvent d'éprouver malgré lui de l'hostilité envers Dennis ; mais cela le déconcertait : il en ressentait déconfiture et humiliation.

— Non, dit-il. Il est vieux. Je vais le jeter. Donne-le-moi.

Il tendit la main et Petey le lui donna d'un air penaud.

— Papa devient complètement schizo, dit Dennis à sa mère.

Le sang de Hal ne fit qu'un tour : il traversa la pièce en tenant le singe qui arborait un sourire d'approbation, empoigna Dennis par la chemise et le tira de son siège. On entendit craquer une couture. La stupéfaction de Dennis paraissait presque comique. Il laissa choir son numéro de *Rock Wave.*

— Hé là !

— Viens ici, dit Hal d'un ton menaçant, en tirant son fils vers la porte de la chambre voisine.

— Hal ! dit Terry, en criant presque.

Petey avait les yeux exorbités.

Hal entraîna son fils. Après l'avoir claquée, il plaqua Dennis contre la porte. Celui-ci commençait à avoir peur.

— Tu vas surveiller ton langage, dit Hal.

— *Lâche-moi !* Tu as déchiré ma chemise, espèce de...

---

ment lorsqu'une couture dériva. **To purr :** *ronronner.* **To drift :** *dériver.*

10. **Copy :** *exemplaire* (de journal, livre, magazine).
11. **Rock Wave :** magazine de rock.
12. **To goggle :** *rouler de gros yeux.* Par ext. **goggles :** *masque sous-marin ; lunettes de ski.*
13. **To slam :** *claquer* (une porte) ; *plaquer brutalement.*
14. **Let go of me :** fam. pour **let me go :** *laisse-moi, lâche-moi.*
15. **To tear** [tɛə], **tore, torn :** *déchirer, arracher* ; **to tear at sth. :** *déchirer* ou *arracher qqch. avec les doigts.* ⚠ **A tear** [tiə] **:** *une larme.*

Hal slammed the boy against the door again.

"Yes," he said. "A real mouth problem. Did you learn that in school? Or back in the smoking area?"

Dennis flushed [1], his face momentarily ugly with guilt. "I wouldn't be in that shitty school if you didn't get canned [2]!" he burst out [3].

Hal slammed Dennis against the door again. "I didn't get canned, I got laid off [4], you know it, and I don't need any of your shit about it. You have problems? Welcome to the world, Dennis. Just don't lay all of them off on me. You're eating. Your ass [5] is covered. You are twelve years old, and at twelve, I don't... need any... shit from you." He punctuated each phrase [6] by pulling the boy forward until their noses were almost touching and then slamming. Dennis back into the door. It was not hard enough to hurt, but Dennis was scared – his father had not laid a hand on him since they moved to Texas – and now he began to cry with a young boy's loud, braying [7], healthy, sobs.

"Go ahead, beat me up!" he yelled at Hal, his face twisted and blotchy [8]. "Beat me up if you want, I know how much you fucking hate me!"

"I don't hate you. I love you a lot, Dennis. But I'm your dad and you're going to show me respect or I'm going to bust [9] you for it."

Dennis tried to pull away. Hal pulled the boy to him and hugged [10] him; Dennis fought [11] for a moment and then put his face against Hal's chest and wept [12] as if exhausted [13].

---

1. **To flush :** *jaillir, faire jaillir* (l'eau) ; intr. (couleur) : *éclater, s'empourprer.*
2. **To can :** 1) *mettre en conserve* (**a can,** US : *boîte de conserve ;* GB : **a tin**) ; 2) *congédier, virer* (cf. **to fire**).
3. **To burst, burst, burst :** *éclater.*
4. **To lay, laid, laid :** litt. *étendre.* **To lay off :** *congédier* (connotation plus douce que **to fire**, ou **to can**), cf. note 2. **To lay off :** cf. note précédente. Ici, sens différent. **Off** (idée de séparation) implique dans le premier cas l'idée de licenciement, et dans le second celle de se débarrasser de quelquechose (litt. *ne te débarrasse pas de tes problèmes en les rejetant sur moi*).
5. **Ass :** *cul.*

Hal plaqua de nouveau son fils contre la porte.

— Je te dis que tu vas surveiller tes paroles. C'est à l'école que tu as appris à parler comme ça ? Ou dans les fumeries ?

Dennis s'empourpra ; un sentiment de culpabilité déforma son visage.

— Je ne serais pas dans cette école de merde si tu ne t'étais pas fait virer, s'écria-t-il.

Hal plaqua de nouveau Dennis contre la porte.

— Je ne me suis pas fait virer, on m'a licencié, et je te dispense de tes commentaires à la con. Tu as des problèmes ? C'est la vie, Dennis. Simplement ne me les colle pas tous sur le dos. Tu as à manger. Tu n'as pas les fesses à l'air. Tu as douze ans, et à douze ans je me passerais de tes commentaires à la con.

Il ponctuait ses mots en attirant l'enfant nez à nez contre lui puis en le plaquant contre la porte. Pas assez violemment pour lui faire mal, mais Dennis avait peur ; son père n'avait pas levé la main sur lui depuis leur installation au Texas. Il poussa des vagissements et sanglota comme un petit garçon bien portant.

— Vas-y, bats-moi ! braillait-il, le visage convulsé et cramoisi. Bats-moi si ça te fait plaisir. Je sais foutre bien que tu me détestes.

— Je ne te déteste pas. Je t'aime énormément, Dennis. Mais je suis ton père, et si tu manques de respect, je vais te l'inculquer à coups de pied aux fesses.

Dennis tenta de se dégager. Hal l'attira et le serra contre lui ; l'enfant se débattit un instant puis il appuya sa tête contre la poitrine de Hal et s'abandonna aux larmes.

---

6. ⚠ **A phrase :** *une expression, un membre de phrase.* **A sentence :** *une phrase.*
7. **To bray :** *brailler* (comme un âne).
8. **Blotch :** *tache, éclaboussure* (d'encre, de couleur) ; *tache rouge* (sur la peau). **Blotchy :** (teint) *couperosé, couvert de rougeurs, tacheté.*
9. **To bust :** pour **to burst** (fam. US).
10. **To hug :** *serrer très fort contre soi.*
11. **To fight, fought, fought :** *se battre,* ou *se débattre.*
12. **To weep, wept, wept :** *pleurer* (en silence) ; **to cry :** *pleurer* (en criant).
13. **Exhausted :** *épuisé.*

Its was the sort of cry Hal hadn't heard from either [1] of his children in years. He closed his eyes, realizing that he felt exhausted himself.

Terry began to hammer [2] on the other side of the door. "Stop it, Hal! Whatever [3] you're doing to him, stop it!"

"I'm not killing him," Hal said. "Go away, Terry."

"Don't you – "

"It's all right, Mom," Dennis said, muffled [4] against Hal's chest.

He could feel her perplexed silence for a moment, and then she went. Hal looked at his son again.

"I'm sorry I bad-mouthed [5] you, Dad," Dennis said reluctantly [6].

"Okay. I accept that with thanks. When we get home [7] next week, I'm going to wait two or three days and then I'm going to go through [8] all your drawers, Dennis. If there's something in them you don't want me [9] to see, you better [10] get rid of it."

That flash of guilt again. Dennis lowered his eyes and wiped away snot [11] with the back of his hand.

"Can I go now?" He sounded sullen [12] once more.

"Sure," Hal said, and let him go. *Got to* [13] *take him camping in the spring, just the two of us. Do some fishing, like Uncle Will used to do with Bill and me. Got to get close* [14] *to him. Got to try.*

He sat down on the bed in the empty room, and looked at the monkey. *You'll never be close to him again. Hal,* its grin seemed to say. *Count on it. I am back to take care of business, just like* [15] *you always knew I would be, someday.*

Hal laid the monkey aside [16] and put a hand over his eyes.

---

1. **Either** : pron. 1) *l'un et l'autre, chacun* (des deux) ; 2) *l'un ou l'autre* ; 3) conj. **either... or...** : *soit... soit...*, **neither... nor...** : *ni... ni...*
2. **A hammer** : *un marteau.* **To hammer** : *marteler.*
3. **Whatever you're doing** : litt. *quoi que tu fasses.*
4. **To muffle** : 1) *emmitoufler* ; 2) *assourdir, voiler un son.* Cf. **muffled drums** : *tambours voilés.*
5. **I bad-mouthed you** : transformation familière du substantif en verbe. Noter la malléabilité de l'américain.
6. **Reluctant** [rɪ'lʌktnt] : *qui agit à contrecœur.* **I feel reluctant to do this** : *je répugne à faire cela.*
7. **When we get home** : les conj. de temps ne se construisent pas avec le futur. **When I am a big boy** : *quand je serai grand.*

Hal n'avait plus entendu ses enfants pleurer ainsi depuis des années. Il ferma les yeux : lui aussi se sentait épuisé.

Terry se mit à tambouriner sur la porte :

— Arrête, Hal ! Je ne sais pas ce que tu fais, mais arrête !

— Je ne vais pas le tuer. Va-t'en, Terry.

— Ne...

— Ça va, m'man, dit Dennis, en se blotissant contre la poitrine de Hal.

Il perçut le silence perplexe de Terry ; puis celle-ci s'en alla. Hal regarda son fils.

— Excuse-moi d'avoir été grossier, papa, dit Dennis à contrecœur.

— D'accord. Je te sais gré de tes excuses. Quand nous rentrerons la semaine prochaine, j'attendrai deux ou trois jours, puis j'inspecterai tous tes tiroirs, Dennis. S'il y a quelque chose que tu ne veux pas que je trouve, tu feras bien de t'en débarrasser.

Nouvelle bouffée de culpabilité. Dennis baissa les yeux et s'essuya le nez du revers de la main.

— Est-ce que je peux partir, maintenant ?

Il paraissait à nouveau renfrogné.

— Oui, dit Hal en le lâchant. *Au printemps il faudra que nous allions camper tous les deux ; que je l'emmène à la pêche, comme l'oncle Will le faisait avec Bill et moi. Il faut me rapprocher de lui. Il faut essayer.*

Il s'assit sur le lit de la chambre vide et regarda le singe. *Tu ne te rapprocheras plus jamais de lui,* semblait insinuer le sourire narquois de l'animal. *Compte sur moi. Je suis revenu prendre les choses en main, et tu as toujours su que cela finirait par arriver.*

Hal repoussa le singe et se mit la main sur les yeux.

---

8. **To go through.** Litt. *aller à travers* ; ici : *inspecter de fond en comble*. (**Through** dénote souvent l'idée d'intégralité).
9. **Want me to...** Rappel : proposition infinitive.
10. **You better :** pour **you'd (you had) better get rid of it :** *tu ferais mieux de t'en débarrasser.*
11. **Snot :** *la morve.*
12. **Sullen :** *morose, renfrogné.*
13. **Got to** pour **I have got to :** *il faut que je ; je dois.* (Cf. **I must**).
14. **Close** [kləus] **:** *près de.* **To close** [kləuz] **:** *fermer.*
15. **Like :** prép. Ici, emploi fam. pour **just as you have always known it**.
16. **Aside :** *de côté.*

That night Hal stood in the bathroom, brushing his teeth, and thought. *It was in the* same box. *How could it be in the* same box ?

The toothbrush jabbed[1] upward, hurting his gums. He winced.

He had been four, Bill six, the first time he saw the monkey. Their missing father had bought a house in Hartford, and it had been theirs, free and clear, before he died or fell into a hole in the middle of the world or whatever it had been. Their mother worked as a secretary at Holmes Aircraft, the helicopter plant[2] out in Westville, and a series[3] of sitters came in to stay with the boys, except by then it was just Hal that the sitters had to mind through the day – Bill was in first grade[4], big school. None of the babysitters stayed for long. They got pregnant[5] and married their boyfriends or got work at Holmes, or Mrs. Shelburn would discover they had been at the cooking sherry or her bottle of brandy which was kept in the sideboard for special occasions. Most were stupid girls who seemed only to want to eat or sleep. None of them wanted to read to Hal as his mother would do.

The sitter that long winter was a huge, sleek[6] black girl named Beulah. She fawned[7] over Hal when Hal's mother was around[8] and sometimes pinched him when she wasn't. Still, Hal had some liking for Beulah, who once in a while[9] would read him a lurid[10] tale from one of her confession or true-detective magazines ("Death Came for the Voluptuous Redhead," Beulah would intone ominously[11] in the dozy[12] daytime silence of the living room, and pop[13] another Reese's peanut butter cup into her mouth while Hal solemnly studied the grainy tabloid pictures and drank milk from his Wish-Cup). The liking made what happened worse.

---

1. **To jab :** *piquer du bout de qqch.* ; *donner un coup* (de couteau).
2. **A plant :** 1) *une plante* ; 2) *une usine* (Cf. **factory, works**).
3. **A series :** même au singulier, **series** prend toujours un **s**.
4. **Grade :** *classe* (Cf. **1st, 2nd grade :** *la 11ᵉ, la 10ᵉ*) ; en GB et aux US, on commence par la **1st grade**. *Etre en classe* : **to be at school** ; *une classe* (salle de classe) : **classroom**. On emploie **grade** dans le 1ᵃⁱʳᵉ et **form** dans le 2ᵃⁱʳᵉ : **1st form :** *la 6ᵉ*.
5. **Pregnant :** *enceinte.* **Pregnancy :** *la grossesse.*
6. **Sleek :** 1) *lisse, luisant* (**sleek hair :** *cheveux lisses*) ; 2) litt. *luisant de santé* ; 3) *mielleux, doucereux, obséquieux.*

Ce soir-là, en se lavant les dents dans la salle de bains, Hal se dit : *il était dans la* même boîte ; *comment a-t-il pu se retrouver dans la* même boîte *?*

La brosse à dents dévia et il se piqua la gencive. Il tressaillit.

La première fois qu'il avait vu le singe, il avait quatre ans et Bill six. Leur père disparu avait acheté une maison à Hartford, qu'il avait achevé de payer avant de mourir, ou de tomber dans un trou au milieu de la planète, ou de se volatiliser on ne sait trop comment. Leur mère travaillait à Westville comme secrétaire à l'usine d'hélicoptères de Holmes Aircraft, et une série de baby-sitters étaient venues garder les enfants ; mais, pendant la journée, celles-ci n'avaient à s'occuper que de Hal, car Bill était en C.P., à la grande école. Aucune n'avait fait long feu. Elles tombaient enceintes et épousaient leur petit ami ou trouvaient du travail chez Holmes ; ou encore Mme Shelburn s'apercevait qu'elles avaient tâté qui du sherry de cuisine, qui de la bouteille de cognac rangée dans le buffet pour les grandes occasions. La plupart de ces filles étaient stupides, et leur ambition semblait se limiter à manger et à dormir. Aucune ne voulait raconter des histoires à Hal comme le faisait sa mère.

Cet hiver-là, la baby-sitter était une énorme Noire éclatante de santé, nommée Beulah. Elle choyait Hal en présence de sa mère, mais quand celle-ci avait le dos tourné, il lui arrivait de le pincer. Malgré tout, Hal éprouvait de l'affection pour Beulah qui, de temps à autre, lui lisait une sinistre histoire tirée de *Confidence* ou de *Détective* : « La mort sonna pour le rouquin voluptueux », psalmodiait Beulah d'un ton prémonitoire dans la torpeur silencieuse qui enveloppait le salon pendant la journée ; sur quoi elle enfournait une nouvelle bouchée de beurre de cacahuète tandis que Hal examinait gravement les illustrations grossières du magazine en buvant du lait dans sa tasse fétiche. Cette affection rendit plus pénible ce qui arriva.

---

7. **A fawn :** *un faon.* **To fawn :** *chouchouter, choyer.*
8. **Her mother was around :** *dans les parages.* Cf. **in the vicinity :** *dans le voisinage.*
9. **Once in a while :** litt. *une fois de temps en temps.*
10. **Lurid :** *blafard, sinistre.*
11. **Ominous** ['ɔmɪnəs] **:** *de mauvais augure, inquiétant.* **Omen** ['əumen] **:** *présage.*
12. **Dozy :** *somnolent.* **To doze :** *somnoler.*
13. **Pop :** Cf. note 13, p. 33.

He found the monkey on a cold, cloudy day in March. Sleet [1] ticked sporadically off the windows, and Beulah was asleep on the couch, a copy of *My Story* tented open [2] on her admirable bosom [3].

Hal had crept [4] into the back closet to look at his father's things.

The back closet was a storage [5] space that ran the length [6] of the second floor on the left side, extra space that had never been finished off. You got into it by using a small door – a down-the-rabbit-hole [7] sort of door – on Bill's side of the boys' bedroom. They both liked to go in there, even though [8] it was chilly in winter and hot enough in summer to wring [9] a bucket [10]-ful of sweat out of your pores. Long and narrow and somehow snug [11], the back closet was full of fascinating junk. No matter how much stuff you looked at, you never seemed to be able to look at it all. He and Bill had spent whole Saturday afternoons up here, barely [12] speaking to each other, taking things out of boxes, examining them, turning them over and over so [13] their hands could absorb each unique reality, putting them back. Now Hal wondered if he and Bill hadn't been trying, as best they could, to somehow make contact with their vanished [14] father.

He had been a merchant mariner with a navigator's certificate, and there were stacks of charts [15] in the closet, some marked with neat circles (and the dimple [16] of the compass's [17] swing-point in the center of each). There were twenty volumes of something called *Barron's Guide to Navigation*. A set of cockeyed [18] binoculars [19] that made your eyes feel hot and funny if you looked through them too long.

---

1. **Sleet** : *grésil, neige fondue.*
2. **Tented open** : litt. *ouvert comme une tente.*
3. ⚠ **Bosom** ['bʊzəm].
4. **To creep, crept, crept** : *ramper, se glisser.*
5. **To store** : *entreposer.* **Big stores** : *grands magasins.*
6. **Ran the length of** : litt. *courait sur toute la longueur de.*
7. **Down-the-rabbit-hole** : litt. *une porte ne permettant de laisser passer qu'un lapin.*
8. **Even though : although.**
9. **To wring, wrung, wrung** : *essorer.*
10. **Bucket** : *seau.*
11. **Snug** : Cf. **cosy** : *chaleureux* et *confortable.*

Le jour de mars où il découvrit le singe, il faisait froid et nuageux. Le grésil crépitait par à-coups sur les fenêtres ; Beulah dormait sur le divan, un numéro de « *My Story* » déployé sur son admirable poitrine.

Hal s'était introduit dans le débarras pour aller voir les affaires de son père.

Ce débarras servait d'entrepôt ; il occupait toute la gauche du deuxième étage et on n'avait jamais achevé l'aménagement de cet espace. On y pénétrait par une porte lilliputienne située dans la chambre des garçons, du côté du lit de Bill. Ils aimaient tous les deux y aller, bien qu'il y fît froid l'hiver et suffisamment torride l'été pour vous faire transpirer par tous les pores. Long, étroit, d'une certaine manière accueillant, le débarras aurait fait le bonheur d'un brocanteur. On n'en finissait pas d'y faire des découvertes. Bill et Hal y avaient passé des samedis après-midi entiers en s'adressant à peine la parole ; ils prenaient des objets dans des boîtes, les examinaient, les tournaient et les retournaient comme pour imprégner leurs mains de chacune de leurs irréductibles particularités, puis ils les rangeaient. Hal se demandait maintenant si Bill et lui n'avaient pas déployé des efforts désespérés pour entrer en contact avec leur père disparu.

Titulaire d'un diplôme d'officier au long cours, celui-ci avait navigué dans la marine marchande ; aussi y avait-il dans le débarras des piles de cartes marines parfois revêtues de cercles minutieux dont chacun portait au centre la trace d'une pointe de compas. Il y avait les vingt tomes d'un ouvrage intitulé *Barron's Guide to Navigation*, une paire de jumelles mal réglées qui faisaient mal aux yeux si on regardait trop longtemps à travers.

---

12. **Barely :** Cf. **hardly :** *à peine.*
13. **So :** *pour* (**so that :** *afin que*).
14. ⚠ **To vanish :** *s'évanouir* (disparaître) ; **to swoon**, ou **to faint :** *s'évanouir* (perdre connaissance).
15. **Chart :** *carte marine.*
16. **Dimple :** *trou, fossette.*
17. **A compass :** *une branche de compas.* **Compasses :** *un compas.* Ici, singulier, puisque la pointe du compas se trouve sur l'une des deux branches.
18. **Cock-eyed :** *qui louche* ; pour un instrument optique : mal réglé.
19. **Binoculars** [bɪ'nɔkjuləz] **:** *jumelles.*

There were touristy things from a dozen ports of call[1] – rubber hula-hula dolls, a black cardboard bowler[2] with a torn band that said YOU PICK A GIRL[3] AND I'LL PICCADILLY, a glass globe with a tiny Eiffel Tower inside. There were envelopes with foreign stamps tucked carefully away inside, and foreign coins[4]; there were rock samples[5] from the Hawaiian island of Maui, a glassy black – heavy and somehow ominous[6] – and funny records in foreign[7] languages.

That day, with the sleet ticking hypnotically off the roof just above his head, Hal worked his way all the way down to the far end of the back closet, moved a box aside, and saw another box behind it – a Ralston-Purina box. Looking over the top was a pair of glassy hazel[8] eyes. They gave him a start[9] and he skittered[10] back for a moment, heart thumping[11], as if he had discovered a deadly[12] pygmy. Then he saw its silence, the glaze in those eyes, and realized it was some sort of toy. He moved forward again and lifted it carefully from the box.

It grinned its ageless, toothy grin in the yellow light, its cymbals held apart.

Delighted, Hal had turned it this way and that, feeling the crinkle of its nappy fur. Its funny grin pleased him. Yet hadn't there been[13] something else ? An almost instinctive feeling of disgust that had come and gone almost before he was aware of it ? Perhaps it was so, but with an old, old memory[14] like this one, you had to be careful not to believe too much. Old memories could lie. But... hadn't he seen that same expression on Petey's face, in the attic of the home place ?

---

1. **A port of call** : *un port d'escale* ; **a harbour** : *un port* ; **to call at Calcutta** : *faire escale à Calcutta.*
2. **Bowler hat** : *chapeau melon.*
3. **You pick a girl** : *vous levez une fille*. Ici, jeu de mots intraduisible sur **Piccadilly**, la célèbre place de Londres.
4. ⚠ **A coin** : *une pièce de monnaie.*
5. ⚠ **A sample** : *un exemplaire.*
6. **Ominous**. Cf. note 11, p. 41.
7. **Foreign** ['fɔrən].
8. **Hazel** : *noisette* (couleur). **A nut** : *une noisette* ; **a walnut** : *une noix*. ⚠ **A nut** peut également signifier *un écrou*. Fam. **he is nuts** : *il est cinglé.*

Des souvenirs pour touristes provenant de dizaines de ports d'escale (poupées polynésiennes en caoutchouc, chapeau melon en carton noir orné d'un ruban déchiré où était inscrit PICK A GIRL AND I'LL PICCADILLY, globe de verre contenant une tour Eiffel en miniature), des timbres étrangers soigneusement rangés dans des enveloppes, des pièces de monnaie du monde entier, des spécimens de roches provenant de Maui, aux Hawaii, un nègre en verre, lourd et quelque peu inquiétant, et de drôles de disques en langues étrangères.

C'était une journée torpide : il grésillait sur le toit et Hal se fraya un chemin jusqu'au fond du débarras ; il repoussa une boîte derrière laquelle il en découvrit une autre : un carton Omo surmonté de deux yeux vitreux, couleur noisette. Il sursauta et eut un mouvement de recul ; son cœur battait, comme s'il avait aperçu un horrible pygmée. Puis, en voyant qu'il avait des yeux de verre et qu'il ne parlait pas, il comprit qu'il s'agissait d'un jouet. Il s'avança et le souleva précautionneusement.

Dans la lumière jaune, le singe tenait ses cymbales écartées et souriait de toutes ses dents : sourire sans âge.

Ravi, Hal l'avait tourné dans tous les sens, en froissant dans ses mains la fourrure de peluche. Le drôle de sourire du singe lui plaisait. Et pourtant, n'y avait-il pas eu autre chose ? Un sentiment fugace de dégoût, presque instinctif ? Possible, mais s'agissant d'un souvenir si ancien, mieux valait se montrer circonspect. Les vieux souvenirs sont parfois trompeurs. Mais... n'avait-il pas remarqué la même expression sur le visage de Petey, dans le grenier de sa maison d'enfance ?

---

9. **To start** : *tressaillir*. **To startle** : *faire tressaillir*. **It gave him a start** (fam. pour **it startled him**).
10. **To skitter** : litt. *trottiner* (comme une souris).
11. **To thump** : *cogner, battre*. **A thump** : *coup sourd*. **He fell with a thump** : *il tomba lourdement*.
12. **Deadly** ['dedlı] : *mortel* (poison, etc.) ; **deadly sins** : *péchés capitaux*.
13. **Hadn't there been** : fam. pour **had there not been**.
14. ⚠ **Memory** : 1) *mémoire* ; 2) *souvenir* (⚠ *un souvenir touristique* : **a souvenir**).

He had seen the key set into the small of its back[1], and turned it. It had turned far too easily; there were no winding-up clicks. Broken, then. Broken, but still neat.

He took it out to play with it.

"Whatchoo got[2], Hal?" Beulah asked, waking[3] from her nap[4].

"Nothing," Hal said. "I found it."

He put it up on the shelf on his side of the bedroom. It stood atop his Lassie[5] coloring books, grinning, staring into space, cymbals poised. It was broken, but it grinned nonetheless[6]. That night Hal awakened from some uneasy dream, bladder full, and got up to use the bathroom in the hall. Bill was a breathing lump[7] of covers across the room.

Hal came back, almost asleep again... and suddenly the monkey began to beat its cymbals together in the darkness.

Jang-jang-jang-jang –

He came fully awake[8], as if snapped[9] in the face with a cold, wet towel. His heart gave a staggering[10] leap of surprise, and a tiny, mouselike[11] squeak escaped his throat. He stared at the monkey, eyes wide, lips trembling.

Jang-jang-jang-jang –

Its body rocked and humped[12] on the shelf. Its lips spread and closed, spread and closed, hideously[13] gleeful, revealing huge and carnivorous teeth.

"Stop," Hal whispered.

His brother turned over and uttered[14] a loud, single snore. All else was silent... except for the monkey. The cymbals clapped[15] and clashed, and surely it would wake his brother, his mother, the world. It would wake the dead[16].

---

1. **The small of the back :** *les reins. Un rein* : **a loin, a kidney**.
2. **Whatchoo got :** prononciation afro-américaine de **what have you got ?**
3. **To wake, woke, woken** (ou **to awake**) **:** *se réveiller*.
4. **A nap :** *une sieste, un somme.*
5. **Lassie :** célèbre chien, héros d'aventures familières à tous les enfants américains.
6. **Nonetheless**, ou **nevertheless :** *néanmoins.*
7. **A lump :** *un gros morceau ; une motte.* **A lump of sugar :** *un morceau de sucre.* **He had a lump in his throat :** *il eut la gorge serrée, une boule dans la gorge.*

Il avait vu la clef plantée entre les reins du singe et il l'avait tournée. Elle avait tourné à vide ; le remontoir n'avait pas cliqueté. Le singe était donc cassé, mais c'était quand même un joli jouet.

Il alla s'amuser avec.

— Quezaco, Hal ? demanda Beulah qui sortait de sa sieste.

— Rien, dit Hal. Je l'ai trouvé.

Il le posa sur l'étagère au-dessus de son lit. Debout sur ses albums à colorier inspirés des aventures de Lassie, il souriait, le regard perdu, les cymbales en suspens. Bien que cassé, il souriait. Cette nuit-là, Hal fit un cauchemar et se réveilla, la vessie pleine ; il se leva pour aller aux toilettes dans l'entrée. De l'autre côté de la chambre, Bill n'était qu'une boule de couvertures qui respirait.

Il revint dans sa chambre, à moitié endormi... et soudain le singe se mit à entrechoquer ses cymbales dans l'obscurité.

Ding, ding, ding, ding...

Hal sortit de sa léthargie, comme si on l'avait fouetté en plein visage avec une serviette imbibée d'eau froide. Il eut un coup au cœur et laissa échapper un petit couinement. Les lèvres frémissantes, les yeux écarquillés, il regarda le singe.

Ding, ding, ding, ding...

Le singe se contorsionnait sur l'étagère. Avec jubilation, les lèvres hideuses se distendaient et se refermaient, se distendaient et se refermaient, en dévoilant d'énormes dents de carnivore.

— Arrête, chuchota Hal.

Son frère se retourna avec un ronflement sonore. Tout le reste était silencieux... à l'exception du singe. Les cymbales s'entrechoquaient, et ce vacarme allait sûrement réveiller son frère, sa mère, le monde entier. Cela allait réveiller les morts.

---

8. **Came fully awake :** fam. pour **Hal woke up thoroughly**.
9. **Snap :** *coup sec ; brisure nette.*
10. **To stagger :** litt. *tituber, chanceler.* **A staggering leap :** litt. *un bond qui lui fit perdre l'équilibre.*
11. **A mouselike squeak :** litt. *un petit cri de souris.*
12. **Rocked and humped :** redondance dont Stephen King tire un effet de style qui alourdirait le français.
13. **Hideously** ['hɪdɪslɪ].
14. **To utter :** *prononcer* (une parole), *émettre un bruit.*
15. **Clapped and clashed :** Cf. note 14, p. 31.
16. **The dead :** *les morts* (en général).

Jang-jang-jang-jang –

Hal moved toward it, meaning to stop it somehow, perhaps put his hand between its cymbals until it ran down, and then it stopped on its own[1]. The cymbals came together one last time – *jang!* – and then spread slowly apart to their original position. The brass glimmered[2] in the shadows. The monkey's dirty yellowish teeth grinned.

The house was silent again. His mother turned over in her bed and echoed[3] Bill's single snore. Hal got back into his own bed and pulled the covers up, his heart beating fast, and he thought : *I'll put it back in the closet again tomorrow. I don't want it.*

But the next morning he forgot all about putting the monkey back because his mother didn't go to work. Beulah was dead. Their mother wouldn't[4] tell them exactly what happened. "It was an accident, just a terrible accident," was all she would say. But that afternoon Bill bought a newspaper on his way home from school and smuggled[5] page four up to their room under his shirt. Bill read the article haltingly[6] to Hal while their mother cooked supper in the kitchen, but Hal could read the headline[7] for himself – TWO KILLED IN APARTMENT SHOOT-OUT[8]. Beulah McCaffery, 19, and Sally Tremont, 20, had been shot by Miss McCaffery's boyfriend, Leonard[9] White, 25, following an argument[10] over who was to go out and pick up an order[11] of Chinese food. Miss Tremont had expired at Hartford Receiving. Beulah McCaffery had been pronounced dead at the scene.

---

1. **On its own** ou **of its own accord** : *de son plein gré.*
2. **To glimmer** : m. à m. *briller d'une lueur vacillante ou faible*. Voir note 7, p. 151, les nuances entre **glimmer, gleam, glow, glisten**.
3. **Echo** ['ekəʊ].
4. **Would** exprime ici la volonté (**Didn't want to**).
5. **To smuggle** : *faire de la contrebande.* **A smuggler** : *un contrebandier.* **Dope was smuggled through the frontier** : *on a passé de la drogue en contrebande.*

Ding, ding, ding, ding...

Hal s'approcha du singe dans l'intention de le bloquer, par exemple en interposant sa main entre les cymbales jusqu'à l'arrêt du mécanisme mais, à ce moment-là, celui-ci s'immobilisa tout seul. Après une dernière percussion, *ding*, les cymbales s'écartèrent lentement pour retrouver leur position d'origine. Le cuivre miroitait dans l'obscurité. Le singe souriait de toutes ses dents sales et jaunâtres.

La maison avait retrouvé le silence. Sa mère se retourna avec un ronflement, comme Bill. Hal se recoucha et ramena la couverture sur lui ; son cœur battait la chamade et il se dit : *Demain, je le remettrai dans le débarras. Je n'en veux plus.*

Mais, le lendemain, sa mère n'alla pas travailler et il oublia de ramener le singe. Beulah était morte. Leur mère ne voulait pas leur dire ce qui s'était passé exactement : « C'est un accident, un terrible accident » ; elle ne voulait pas en dire plus. Cependant, après l'école, Bill acheta un journal et monta en cachette la page quatre dans leur chambre en la dissimulant sous sa chemise. D'une voix hésitante, Bill lut l'article à Hal pendant que leur mère préparait le dîner dans la cuisine, mais Hal déchiffra le titre tout seul : COUPS DE FEU DANS UN APPARTEMENT : DEUX MORTS. Beulah McCaffery, 19 ans, et Sally Tremont, 20 ans, avaient été tuées par Léonard White, 25 ans, le petit ami de Mademoiselle McCaffery, à la suite d'une dispute pour savoir qui descendrait chercher de la nourriture chinoise qu'ils avaient commandée. Mademoiselle Tremont avait expiré aux urgences de Hartford. On avait constaté le décès de Beulah McCaffery sur les lieux de la tragédie.

---

6. **Haltingly** : *en hésitant, en ânonnant.*
7. **Headline** : litt. *ligne de tête* : *gros titre* (d'un journal).
8. **To shoot** [ʃu:t], **shot, shot** : *tirer un coup de feu.* **A shoot-out** : *une fusillade.*
9. **Leonard** ['lenəd].
10. **Argument** : 1) *argument* ; 2) *dispute, discussion.*
11. **An order** : 1) *un ordre* ; 2) *une commande* (dans un magasin).

It was like Beulah just disappeared [1] into one of her own detective magazines, Hal Shelburn thought, and felt a cold chill race up [2] his spine [3] and then circle his heart. And then he realized the shootings had occurred about [4] the same time the monkey –

"Hal?" It was Terry's voice, sleepy. "Coming to bed [5]?"

He spat [6] toothpaste into the sink and rinsed his mouth. "Yes," he said.

He had put the monkey in his suitcase earlier, and locked it up. They were flying [7] back to Texas in two or three days. But before they went, he would get rid of the damned [8] thing for good.

Somehow [9].

"You were pretty rough on Dennis this afternoon," Terry said in the dark.

"Dennis has needed somebody to start being rough [10] on him for quite a while now, I think. He's been drifting [11]. I just don't want him [12] to start falling."

"Psychologically [13], beating the boy isn't a very productive – "

"I didn't *beat* him, Terry – for Christ's sake [14]!"

" – way to assert parental authority – "

"Oh, don't give me any of that encounter-group [15] shit [16]," Hal said angrily.

"I can see you don't want to discuss this." Her voice was cold.

"I told him to get the dope [17] out of the house, too."

"You did?" Now she sounded apprehensive. "How did he take it? What did he say?"

---

1. **It was like Beulah just disappeared :** fam. pour **It was as if Beulah had disappeared...**
2. **Race up**, ou **run up**.
3. **Spine :** *l'épine dorsale, la colonne vertébrale.*
4. **About** indique l'idée d'approximation (Cf. **around**).
5. **Coming to bed ? = Are you coming to bed ?**
6. **To spit, spat, spat :** *cracher.*
7. **Fly back :** litt. *retourner en volant, en avion.*
8. **Damned** ['dæmd].
9. **Somehow :** *d'une manière ou d'une autre ; en quelque sorte.*
10. **Rough** [rʌf] : 1) *rugueux* ; 2) *rude, brutal.*

C'était comme si Beulah avait disparu dans un de ses magazines policiers ; à cette pensée, un frisson parcourut le dos de Hal et son cœur se serra. C'est alors qu'il lui vint à l'esprit que les coups de feu avaient éclaté à peu près au moment où le singe...

— Hal ? fit Terry d'une voix endormie. Tu viens te coucher ?

Il cracha le dentifrice dans le lavabo et se rinça la bouche. « Oui », dit-il.

Auparavant, il avait enfermé le singe à clef dans sa valise. Ils reprenaient l'avion pour le Texas dans deux ou trois jours. Mais avant de partir, il se débarrasserait pour de bon de ce maudit objet.

Il trouverait bien un moyen.

— Tu y es allé un peu fort avec Dennis cet après-midi, dit Terry dans le noir.

— Il y a un moment que Dennis a besoin qu'on le secoue. Il file un mauvais coton. Je ne veux pas le laisser perdre pied, c'est tout.

— D'un point de vue psychologique, battre cet enfant n'est pas un moyen...

— Mais nom de Dieu, je ne l'*ai pas battu* !

— ... très efficace d'affirmer l'autorité parentale.

— Epargne-moi ce baratin de psychanalyse de groupe, dit Hal d'un ton courroucé.

— Bien ! bien ! Tu ne veux pas qu'on en parle, répondit-elle sèchement.

— En plus, je lui ai dit de ne pas garder de came à la maison.

— Ah ! Bon ? (Elle eut l'air inquiète.) Comment l'a-t-il pris ? Qu'a-t-il dit ?

---

11. To drift : *dériver.*

12. I just don't want him to : cf. note 8, p. 34.

13. Psychology [saɪ'kɔlə,dʒɪ], **psychological** [,saɪkə'lɔdʒɪkəl], **psychologically** [,saɪkə'lɔdʒɪkəlɪ].

14. Sake : *égard.* **For Christ's sake :** *pour l'amour du Christ.* **Art for art's sake :** *l'art pour l'art.*

15. Encounter group : *groupes de rencontre*, très à la mode pendant les années 70 aux Etats-Unis.

16. Shit : litt. *merde.*

17. Dope : *drogue, came.*

"Come on, Terry! What *could* he say? You're fired[1]?"

"Hal, what's the *matter* with you? You're not like this – what's *wrong*?"

"Nothing," he said, thinking of the monkey locked away in his Samsonite[2]. Would he hear it if it began to clap its cymbals? Yes, he surely would. Muffled, but audible. Clapping doom[3] for someone, as it had for Beulah, Johnny McCabe, Uncle Will's dog Daisy. *Jang-jang-jang*, is it you, Hal? "I've just been under a strain[4]."

"I *hope* that's all it is. Because I don't like you this way."

"No?" And the words escaped before he could stop them: he didn't even want to stop them. "So pop a Valium and everything will look okay again."

He heard her draw breath in and let it out shakily[5]. She began to cry then. He could have comforted[6] her (maybe), but there seemed to be no comfort in him. There was too much terror. It would be better when the monkey was gone again, gone for good. Please God, gone for good.

He lay[7] wakeful until very late, until morning began to gray the air outside. But he thought he knew what to do.

* * *

Bill had found the monkey the second time.

That was about a year and a half[8] after. Beulah McCaffery had been pronounced Dead at the Scene. It was summer. Hal had just finished kindergarten[9].

He came in from playing and his mother called, "Wash your hands, Señor, you are feelthy like a peeg[10]." She was on the porch, drinking an iced tea and reading a book. It was her vacation[11]; she had two weeks.

---

1. **Fired** : *viré, licencié.*
2. **Samsonite** : valise ou mallette rigide grise très répandue aux US.
3. **Doom** : *destin funeste, sort malheureux.* **His doom is sealed** : *sa perte est assurée.* **Doomsday** : *le jugement dernier.* **A doomed town** : *une ville condamnée.*
4. **Strain** : *effort, tension.* **To be under a strain** : *être tendu.* **To strain** : *faire un grand effort.*
5. **He heard... shakily** : litt. *Il l'entendit inspirer* (un souffle) *et le laisser sortir en tremblant. Puis elle commença à pleurer.*

— Voyons, Terry ! Que *voulais-tu* qu'il dise ? Qu'il me foutait dehors ?

— Hal, *qu'est-ce qui te prend* ? Ça ne te ressemble pas... Qu'est-ce *qui ne va pas* ?

— Rien », dit-il en pensant au singe enfermé dans sa valise. L'entendrait-il s'il se mettait à entrechoquer ses cymbales ? Oui, sûrement. De manière assourdie, mais audible. Il l'entendrait sonner le glas de quelqu'un, comme il l'avait fait pour Beulah, pour Johnny McCabe, pour Daisy, la chienne de l'oncle Will. *Ding, ding, ding, ding*, est-ce ton tour, Hal ? « Je suis fatigué, c'est tout. »

— J'espère que c'est tout. Parce que je n'aime pas te voir comme ça.

— Ah ! non ? (Les mots lui échappèrent sans même qu'il eût envie de les contrôler :) Alors avale un Valium et tout s'arrangera.

Elle poussa un soupir, et fondit en larmes en tremblant. Il aurait peut-être pu la consoler, mais il ne s'en sentait pas la force. Il était trop angoissé. Tout irait mieux quand le singe aurait disparu définitivement. Oui, définitivement, pour l'amour de Dieu.

Il ne s'endormit que très tard, à l'heure où l'aube grise commençait à s'insinuer dans l'air. Mais il croyait savoir ce qu'il fallait faire.

* * *

La seconde fois, c'est Bill qui avait trouvé le singe.

C'était environ un an après le jour où on avait constaté le décès de Beulah McCaffery sur les lieux de la tragédie. L'été où Hal venait de terminer le jardin d'enfants.

Il avait joué dehors et quand il rentra sa mère lui cria : « Va te laver les mains, Señor : tou es sale comme oune goret. » Elle était en train de lire en prenant un thé glacé sur la véranda. Elle profitait de ses quinze jours de vacances.

---

6. ⚠ **Comfort** ['kʌmfət] : 1) *confort* ; 2) *réconfort*.
7. **To lie, lay, lain** : *être étendu*.
8. ⚠ **A year and a half** [hɑ:f] : *un an et demi*.
9. **Kindergarten** : *jardin d'enfants*. ⚠ **Nursery** : 1) *chambre d'enfants* ; 2) *pépinière*.
10. **Feelthy like a peeg** : Terry imite l'accent mexicain en prononçant le [ɪ] comme un [i:]. **You are filthy like a pig. Filthy** : plus fort que **dirty** ; **filth** : *ordure*.
11. **Vacation**, ou **holiday**. On utilise davantage le premier aux US.

Hal gave his hands a token[1] pass under cold water and printed dirt[2] on the hand towel. "Where's Bill?"

"Upstairs. You tell him to clean his side of the room. It's a mess[3]."

Hal, who enjoyed being the messenger of unpleasant news in such matters, rushed up. Bill was sitting on the floor. The small down-the-rabbit-hole door leading to the back closet was ajar[4]. He had the monkey in his hands.

"That's busted[5]," Hal said immediately.

He was apprehensive, although he basely remembered coming back from the bathroom that night and the monkey suddenly beginning to clap its cymbals. A week or so[6] after that, he had had a bad dream about the monkey and Beulah – he couldn't remember exactly what – and had awakened screaming, thinking for a moment that the soft[7] weight on his chest was the monkey, that he would open his eyes and see it grinning down at him. But of course the soft weight had only been his pillow[8], clutched[9] with panicky tightness[10]. His mother came in to soothe[11] him with a drink of water and two chalky[12]-orange baby aspirin, those Valiums of childhood's troubled times. She thought it was the fact of Beulah's death that had caused the nightmare. So it was, but not in the way she thought.

He barely remembered any of this now, but the monkey still scared him, particularly its cymbals. And its teeth.

"I know that," Bill said, and tossed[13] the monkey aside. "It's stupid." It landed[14] on Bill's bed, staring up at the ceiling, cymbals poised. Hal did not like to see it there.

---

1. **Token** : *signe, témoignage.* **Token payment** : *paiement symbolique.*
2. **Printed dirt** : litt. *imprima la saleté.*
3. **Mess** : *saleté, fouillis, désordre, gâchis.* **To get into a mess** : *se mettre dans le pétrin.* **He made a mess of it** : *il a tout gâché.* **What a mess!** : *en voilà du propre !*
4. **Ajar** [ə'dza:] : *entrebâillé.*
5. **Busted = Burst** : voir note 7, p. 155. Ici, comme souvent dans le langage familier US, **busted = broken.**
6. **A week or so = about a week** : *environ.*
7. **Soft** : *doux* (au toucher). **Sweet** : *doux au goût* (sucré) ; **a sweet person** : *une personne charmante.* **Gentle** : *doux* (caractère). **Meek** : *doux* (comme un agneau).

Hal se passa symboliquement les mains sous l'eau froide et essuya la crasse sur la serviette.

— Où est Bill ?

— En haut. Dis-lui de ranger ses affaires. Tout est en désordre dans la chambre.

Hal se précipita, car il adorait annoncer ce genre de mauvaises nouvelles. Bill était assis par terre. La petite porte lilliputienne qui menait au débarras était entrouverte. Il tenait le singe entre ses mains.

— Il est cassé, s'écria Hal sur-le-champ.

Il était inquiet, bien qu'il ne se souvînt guère de la nuit où les cymbales s'étaient soudain mises en branle au moment où il revenait des toilettes. Quelques jours plus tard, il avait vu le singe et Beulah dans un cauchemar, mais il avait oublié ce qui se passait exactement : il s'était réveillé en criant ; pendant un instant, il avait cru que c'était le singe qui lui pesait sur la poitrine et qu'en ouvrant les yeux, il verrait le sourire de l'animal. Mais naturellement, ce poids léger, c'était son oreiller, auquel il s'agrippait frénétiquement. Sa mère vint le calmer avec un verre d'eau et deux cachets d'aspirine à l'orange pour enfants, ces Valium des moments d'angoisse du premier âge. Elle croyait que la mort de Beulah avait provoqué ce mauvais rêve. C'était la vérité, mais pas pour les raisons qu'elle imaginait.

Il ne se souvenait presque plus de tout cela, mais il avait toujours peur du singe, et surtout de ses cymbales. Et de ses dents.

— Je sais, dit Bill en le jetant. Il est stupide.

Le singe atterrit sur son lit, le regard fixé sur le plafond, les cymbales en suspens. Hal n'aimait pas le voir à cet endroit.

---

8. **Pillow :** *oreiller* ; **pillow case :** *taie d'oreiller.*
9. **To clutch :** *s'agripper.* La racine **cl** indique l'idée d'agrippement. Cf. **To cling, clang, clung.**
10. **Tight :** *serré, étanche.* **Hold tight :** *tenez-vous bien, accrochez-vous bien.*
11. **To soothe** [su:ð] **:** *calmer, adoucir.*
12. **Chalky :** *crayeux, couleur de la craie.*
13. **To toss :** *lancer, jeter* (une balle). **To toss a coin :** *jouer à pile ou face* (litt. *lancer une pièce de monnaie en l'air*). **Tossed by the waves :** *ballotté par les vagues.*
14. **To land :** *atterrir.* **To land on the sea :** *amerrir.*

"You want to go down to Teddy's and get Popsicles [1]?"

"I spent my allowance [2] already," Hal said. "Besides, Mom says you got to clean up your side of the room."

"I can do that later," Bill said. "And I'll loan you a nickel [3], if you want." Bill was not above giving Hal an Indian rope burn sometimes, and would occasionally trip him up [4] or punch him for no particular reason, but mostly he was okay.

"Sure," Hal said gratefully. "I'll just put the busted monkey back in the closet first, okay?"

"Nah," Bill said, getting up. "Let's go-go-go [5]."

Hal went. Bill's moods [6], were changeable, and if he paused to put the monkey away [7], he might lose his Popsicle. They went down to Teddy's and got them, and not just any Popsicles, either, but the rare blueberry ones. Then they went down to the Rec [8] where some kids were getting up a baseball game. Hal was too small to play, but he sat far out in foul territory [9], sucking his blueberry Popsicle and chasing what the big kids called "Chinese home runs [10]." They didn't get home until almost dark, and their mother whacked Hal for getting the hand towel dirty and whacked Bill for not cleaning up his side of the room, and after supper there was TV, and by the time all of that happened, Hal had forgotten [11] all about the monkey. It somehow [12] found its way up onto *Bill's* shelf, where it stood right next to Bill's autographed picture of Bill Boyd. And there it stayed for nearly two years.

By the time Hal was seven, babysitters had become an extravagance [13], and Mrs. Shelburn's parting [14] shot each morning was, "Bill, look after your brother."

---

1. **Popsicle.** Mot porte-manteau formé de fragments de vocables accolés. **Lollipop** *(sucette, sucre d'orge)* + **icicle** *(glaçon).*
2. **Allowance** [ə'lauəns]. De **to allow** : *autoriser.*
3. Appellation familière des pièces de monnaie US : **a penny = 1 cent ; a nickel = 5 cents ; a dime = 10 cents ; a quarter = 25 cents ; a buck = 1 dollar.**
4. **To trip up** : *faire un croc-en-jambe, un croche-pied.*
5. **Let's go-go-go** : expression enfantine.
6. **Mood** : *humeur, atmosphère.* **I am not in the mood to** : *je n'ai pas envie de...*
7. **To put away** : *ranger.*

— Tu veux qu'on aille acheter des bâtonnets glacés chez Teddy ?

— J'ai dépensé tout mon argent du mois, dit Hal. En plus, maman veut que tu ranges tes affaires.

— Je le ferai plus tard, dit Bill. Si tu veux, je te prête cinq cents.

Bill était tout à fait capable de faire une brûlure indienne ou un croche-pied à son frère, ou de lui donner un coup de poing sans raison particulière mais, dans l'ensemble, il était sympa.

— D'accord, dit Hal avec gratitude. Mais d'abord tu veux bien que je range le singe cassé dans le débarras ?

— Non, dit Bill en se levant. Allonzy, allonzo.

Hal suivit son frère, car Bill était d'humeur fantasque, et s'il s'attardait pour ranger le singe, il risquait de perdre sa glace. Ils se rendirent chez Teddy pour en acheter : pas des ordinaires, mais des spéciales, aux airelles. Puis ils allèrent au terrain de jeu où des gamins faisaient une partie de base-ball. Trop petit pour jouer, Hal s'assit tout au bout de la zone hors jeu en suçant sa glace aux airelles et se chargea d'aller chercher ce que les grands appelaient les « home run chinois ». Ils ne rentrèrent qu'à la nuit tombante ; leur mère leur administra une fessée à chacun : à Hal pour avoir sali l'essuie-mains et à Bill pour n'avoir pas rangé ses affaires dans sa chambre ; après le dîner, ils regardèrent la télé et, avec tous ces événements, Hal avait complètement oublié le singe. Celui-ci avait trouvé moyen de grimper sur l'étagère de *son frère* et de s'installer à côté de la photo dédicacée de Bill Boyd. Il y demeura pendant deux années.

Quand Hal eut sept ans, les baby-sitters étaient devenues un luxe et, chaque matin, en partant, Mme Shelburn lançait : « Bill, je te confie ton frère. »

---

8. **Rec** : abrév. de **recreation area.**
9. **Foul territory** : terme de **base-ball** indiquant *la zone hors jeu.*
10. **Chinese home run** : terme de **base-ball.**
11. **I have forgotten all about it** : *je l'ai complètement oublié.*
12. **Somehow** : *d'une manière ou d'une autre.*
13. ⚠ **Extravagance** [eks'træva,gəns] : 1) *extravagance, exagération* ; 2) *folles dépenses, gaspillage.* **To be extravagant in one's dress** : *s'habiller au-delà de ses moyens* ; **an extravagant price** : *un prix exorbitant.*
14. **To part** : *se séparer.* **Shot** : *cri.* Litt. *cri de départ.*

That day, however, Bill had to stay after school and Hal came home alone, stopping at each corner until he could see absolutely no traffic coming in either[1] direction, and then skittering across, shoulders hunched[2], like a doughboy[3] crossing no-man's-land. He let himself into the house with the key under the mat and went immediately to the refrigerator for a glass of milk. He got the bottle, and then it slipped[4] through his fingers and crashed to smithereens[5] on the floor, the pieces of glass flying everywhere.

Jang-jang-jang-jang, from upstairs, in their bedroom. *Jang-jang-jang, hi, Hal! Welcome home! And by the way*[6], *Hal, is it you? Is it you this time? Are they going to find you Dead at the Scene?*

He stood there, immobile, looking down at the broken glass and the puddle[7] of milk, full of a terror he could not name or understand. It was simply there, seeming to ooze[8] from his pores.

He turned and rushed upstairs to their room. The monkey stood on Bill's shelf, seeming to stare[9] at him. The monkey had knocked the autographed picture of Bill Boyd facedown onto[10] Bill's bed. The monkey rocked and grinned and beat[11] its cymbals together. Hal approached[12] it slowly, not wanting to, but not able to stay away. Its cymbals jerked apart and crashed together and jerked[13] apart[14] again. As he got closer, he could hear the clockwork running in the monkey's guts.

Abruptly, uttering a cry of revulsion and terror, he swatted[15] it from the shelf as one might swat a bug[16].

---

1. **Either** : voir note 1, p. 38.
2. **Hunched** : *rentrées.* **A hunchback** : *un bossu.*
3. **Doughboy** : US (ici), *fantassin, homme de troupe, simple soldat* ; appellation remontant à la Guerre civile américaine. Lors de la Première Guerre mondiale, **The Dough-boys** : *les Américains.*
4. **To slip** : *glisser* (par maladresse) ; *enfiler* (un vêtement). ⚠ **A slip** : *une combinaison.*
5. **Smithereens** : *morceaux, miettes.*
6. **By the way** : *au fait, à propos.*
7. **A puddle** : *une flaque* ; **to puddle** : *patauger, barboter.*
8. **To ooze** : *suinter.*
9. **To stare** : *regarder fixement.* Cf. note 6, p. 145.

Mais un jour, Bill fut retenu à l'école et Hal rentra seul ; il s'arrêta à chaque coin de rue, regardant à droite et à gauche pour s'assurer qu'il n'y avait pas de voiture, avant de traverser à toute allure, la tête enfoncée dans les épaules, comme un troufion sur la ligne de front. Il prit la clef sous le paillasson, entra et alla directement prendre du lait dans le réfrigérateur. La bouteille lui glissa des mains et se cassa en mille morceaux ; les éclats de verre volèrent dans tous les coins.

Un *ding, ding, ding, ding* retentit dans la chambre du haut. *Ding, ding, ding, salut, Hal ! Bienvenue, Hal ! Et au fait, c'est toi ? C'est bien toi, cette fois-ci ? Va-t-on constater ton décès sur les lieux de la tragédie ?*

Hal resta pétrifié, les yeux fixés sur le verre brisé et la flaque de lait, médusé de terreur : une terreur indicible et incompréhensible qui lui suintait par tous les pores.

Il fit volte-face et se précipita dans sa chambre. Sur l'étagère de Bill, le singe avait les yeux braqués sur lui. Il avait renversé la photo dédicacée de Bill Boyd qui était tombée, face cachée, sur le lit de son frère. Il se trémoussait en souriant et en entrechoquant ses cymbales. Incapable de rester à l'écart, Hal s'avança lentement, malgré lui. Par secousses successives, les cymbales s'ouvraient et se refermaient. En se rapprochant, Hal entendit les rouages qui tournaient dans les entrailles du singe.

Bouleversé, il poussa un cri de terreur et fit tomber l'animal de l'étagère, avec le geste vif de quelqu'un qui écrase un insecte.

---

10. **Onto** indique que la photo s'est posée sur le lit (idée de mouvement). Cf. **into**, s'il y avait pénétration.
11. **To beat, beat, beaten :** *battre.* **Beat :** 1) *battement, pulsation, mesure* (mus.) ; 2) *ronde* (agent de police) ; 3) (US) *escroc* ; 4) (US) *nouvelles fraîches, « scoop ».*
12. **To approach** v. tr. **:** *s'approcher de.*
13. **To jerk :** *secouer.*
14. **Apart :** v. note 14, p. 57. Idée de séparation.
15. **To swat :** US, *frapper, cogner sur.*
16. **Bug :** cf. note 15, p. 31.

It struck[1] Bill's pillow and then fell on the floor, cymbals beating together, *jang-jang-jang*, lips flexing and closing as it lay there on its back in a patch[2] of late April sunshine.

Hal kicked it with one Buster Brown[3], kicked it as hard as he could, and this time the cry that escaped him was one of fury. The clockwork monkey skittered across the floor, bounced[4] off the wall and lay still. Hal stood staring at it, fists bunched, heart pounding[5]. It grinned saucily back at him, the sun of a burning pinpoint[6] in one glass eye. *Kick me all you want,* it seemed to tell him, *I'm nothing but cogs and clockwork and a worm gear or two, kick me all you feel like, I'm not real, just a funny clockwork monkey is all I am, and who's dead? There's been an explosion at the helicopter plant! What's that rising up into the sky like a big bloody bowling ball with eyes where the finger-holes*[7] *should be? Is it your mother's head, Hal? Whee! What a ride your mother's head is having! Or down at Brook Street Corner! Looky*[8]*-here, pard*[9]*! The car was going too fast! The driver was drunk! There's one Bill less in the world! Could you hear the crunching*[10] *sound when the wheels ran over his skull and his brains*[11] *squirted*[12] *out his ears? Yes? No? Maybe? Don't ask me, I don't know, I can't know, all I know how to do*[13] *is beat these cymbals together jang-jang-jang, and who's Dead at the Scene, Hal? Your mother? Your brother? Or is it you, Hal? Is it you?*

He rushed at it again, meaning[14] to stomp it, smash it, jump on it until cogs and gears flex and its horrible glass eyes rolled along the floor.

---

1. **To strike, struck, struck.**
2. **Patch :** *tache ; pièce* (pour raccommoder). Cf. **patchwork.**
3. **Buster Brown :** chaussures de l'armée américaine pendant la Seconde Guerre mondiale ; de très nombreux enfants américains ont porté ce type de chaussures pendant les années 50 et 60.
4. **To bounce** [bauns] **:** *rebondir.*
5. **To pound** [paund] **:** *broyer, piler ; pilonner, donner des coups.* Fig. **the pounding of one's heart :** *les battements de cœur.*
6. **Pinpoint :** litt. *pointe d'épingle.*
7. **Finger-holes.** Les boules de bowling comportent cinq trous qui servent de prises pour les doigts.

Le singe rebondit sur l'oreiller de Bill et tomba sur le dos dans une flaque de soleil printanier, les cymbales en action, *ding, ding, ding,* et les lèvres tour à tour dilatées et contractées.

Hal lui décocha un violent coup de botte et, cette fois, ce fut de rage qu'il hurla. Le singe se retrouva de l'autre côté de la pièce, rebondit sur le mur, et s'immobilisa. Hal le fixa, les poings serrés, le cœur battant. Le singe lui souriait avec insolence, une pointe de soleil dans son œil de verre. *Donne-moi autant de coups de pied qu'il te plaira,* semblait-il dire, *je ne suis qu'un assemblage de ressorts, de rouages et d'engrenages, frappe-moi tout ton saoul, je ne suis pas réel, je ne suis qu'un drôle de singe mécanique, et qui vient de mourir ? Il y a eu une explosion dans l'usine d'hélicoptères ! Qu'est-ce qui s'élève dans le ciel comme une grosse boule de bowling ensanglantée avec des yeux à la place des prises de doigts ? Est-ce la tête de ta mère, Hal ? Oh ! la, la ! Qu'est-ce qu'elle se balade, la tête de ta mère ! Ou bien cela se passe-t-il au carrefour de Brook Street ? Écoute, camarade ! La voiture allait trop vite ! Le conducteur était ivre ! Il y a un Bill de moins sur terre ! As-tu entendu craquer son crâne sous les roues et sa cervelle lui gicler par les oreilles ? Oui ? Non ? Peut-être ? Ne me le demande pas, je n'en sais rien, je ne peux pas savoir, tout ce que je sais faire, c'est frapper ces cymbales l'une contre l'autre, ding, ding, ding, et qui vient de mourir sur les lieux de la tragédie, Hal ? Ta mère ? Ton frère ? Ou bien toi, Hal ? Toi ?*

Hal se jeta de nouveau sur lui dans le but de le piétiner, de l'écrabouiller, de sauter dessus pour faire éclater ses rouages et ses engrenages et pour faire rouler ses horribles yeux de verre sur le plancher.

---

8. **Looky** : fam. pour **look.**
9. **Pard** : dim. de **pardner**, prononciation fréquente de **partner** *(partenaire).*
10. **To crunch** : *craquer, crisser.*
11. **Brain** : *cerveau* ; **brains** (pl.) : *cervelle.*
12. **To squirt** : *gicler.*
13. *Il sait faire cela :* **he knows how to do this.**
14. **To mean** : 1) *signifier* ; 2) *avoir l'intention de.* **I didn't mean to do it** : *je ne l'ai pas fait exprès.*

But just as he reached it, its cymbals came together once more, vey softly... *(jang)*... as a spring somewhere inside expanded one final, minute [1] notch [2]... and a sliver [3] of ice seemed to whisper its way through the walls of his heart, impaling it, stilling its fury and leaving him sick with terror again. The monkey almost seemed to know – how [4] gleeful its grin seemed!

He picked it up, tweezing one of its arms between the thumb and first finger [5] of his right hand, mouth drawn down in a bow of loathing [6], as if it were a corpse [7] he held. Its mangy fake [8] fur seemed hot and fevered against his skin. He fumbled open the tiny door that led to the back closet and turned on [9] the bulb. The monkey grinned at him as he crawled down the length of the storage area between boxes piled on top of boxes, past the set [10] of navigation books and the photograph [11] albums with their fume [12] of old chemicals and the souvenirs and the old clothes, and Hal thought: *If it begins to clap its cymbals together now and move* [13] *in my hand, I'll scream, and if I scream, it'll* [14] *do more than grin, it'll start to laugh, to laugh at me, and then I'll go crazy* [15] *and they'll find me in here, drooling* [16] *and laughing crazy, I'll be crazy, oh please dear God, please dear Jesus, don't let me go crazy –*

He reached the far end and clawed [17] two boxes aside, spilling [18] one of them, and jammed [19] the monkey back into the Ralston-Purina box in the farthest corner. And it leaned in there, comfortably, as if home at last, cymbals poised, grinning its simian grin, as if the joke were still on Hal.

---

1. **Minute** ['mɪnɪt] : *minute* ; **minute** ['maɪnjʊt] : *minutieux.*
2. **Notch** : *encoche.*
3. **Sliver** : *éclat de bois.*
4. **How** + adj. + sujet + verbe. Cf. **How glad I am to see you** : *comme je suis content de vous voir.* Retenir cette construction.
5. Les anglophones ne comptent que quatre doigts, dont ils distinguent le *pouce* (**thumb** [θʌm]).
6. **Mouth drawn down in a bow of loathing** : litt., *la bouche tirée vers le bas en un arc de dégoût.*
7. **Corpse** : *un cadavre.*
8. **Fake** : *faux, truqué, frelaté.*
9. **To turn on** (ou **switch on**) **the light** : *allumer la lumière* ≠ **turn off,** ou **switch off.**

Mais au moment où il arrivait dessus, les cymbales se rejoignirent une dernière fois, tout doucement... *(ding)*... ; à l'intérieur du singe un ressort se détendit sur un dernier cran minuscule... ; une dague de glace transperça en chuchotant les parois du cœur de Hal qu'elle empala ; sa fureur retomba ; il était à nouveau mort de peur. On aurait dit que le singe savait, tant il y avait de jubilation dans son sourire.

Il le ramassa en lui saisissant le bras entre le pouce et l'index de la main droite avec une grimace de dégoût comme s'il se fût agi d'une charogne. Il ouvrit à tâtons la petite porte du débarras et alluma l'ampoule. Le singe lui sourit pendant qu'il traversait l'aire de rangement en rampant parmi les piles de boîtes, la collection de manuels de navigation, les albums de photos qui sentaient les vieux produits chimiques, les souvenirs et les vieux vêtements ; Hal se disait : *S'il donne des coups de cymbales et s'il remue dans ma main, je vais crier, et si je crie, il ne se contentera plus de sourire, il éclatera de rire, il rira de moi, et je vais devenir fou, et on me retrouvera ici, en train de divaguer en ricanant comme un dément, je serai fou, oh ! Dieu de miséricorde, épargnez-moi la folie...*

Au fond du débarras, il repoussa deux boîtes du revers de la main, en renversa une, et fourra le singe dans le carton Omo rangé dans l'encoignure. Se retrouvant enfin chez lui, celui-ci s'y cala confortablement, sourire aux lèvres, cymbales en suspens, comme si Hal était toujours le dindon de la farce.

---

10. **A set** : *une série, une collection.* Cf. *un set de table.*
11. **A photograph** : *une photographie* ; **photographer** : *photographe.*
12. **Fume** : *vapeur, exhalaison* ; **to fume** : *fulminer.*
13. **To move** [mu:v] : *remuer.*
14. **It'll = It will.**
15. **To go crazy** (ou **mad**) : *devenir fou.*
16. **To drool** : (US) *baver, radoter.* **To drivel** en anglais britannique.
17. **Claw** : *griffe.* **To claw** : litt., *saisir avec ses griffes.*
18. **To spill** : *renverser.*
19. **To jam** : *serrer, presser, fourrer, entasser.* **A traffic jam** : *un encombrement* ; **jammed gun** : *enrayé.*

Hal crawled backward [1], sweating, hot and cold, all fire and ice, waiting for [2] the cymbals to begin, and when they began, the monkey would leap from its box and scurry beetlelike [3] toward him, clockwork whirring [4], cymbals clashing madly, and –

– and none of that happened. He turned off [5] the light and slammed the small down-the-rabbit-hole door and leaned on it, panting [6]. At last he began tc feel a little better. He went downstairs on rubbery [7] legs, got an empty bag, and began carefully to pick up the jagged [8] shards [9] and splinters [10] of the broken milk bottle, wondering if he was going to cut himself and bleed [11] to death, if that was what the clapping cymbals had meant [12]. But that didn't happen, either. He got a towel and wiped up the milk and then sat down to see if his mother and brother would come home.

His mother came first, asking, "Where's Bill?"

In a low, colorless voice, now sure that Bill must be Dead at some Scene, Hal started to explain about the school play meeting, knowing that, even given a very long meeting, Bill should have been home half an hour ago.

His mother looked at him curiously, started to ask what was wrong, and then the door opened and Bill came in – only it was not Bill at all, not really. This was a ghost-Bill [13], pale and silent [14].

"What's wrong [15]?" Mrs. Shelburn exclaimed. "Bill, what's wrong?"

Bill began to cry and they got the story through his tears [16]. There had been a car, he said.

---

1. **Crawled backward :** remarquer l'importance de la postposition adverbiale, **backward** (et la concision de l'anglais), dont la traduction nécessite un verbe en français *(faire demi-tour)*. L'action est donc traduite par la postposition, et le verbe (**to crawl :** *ramper*) qualifie cette action.
2. Noter la construction de **to wait** avec **for** et une proposition infinitive.
3. **Beetlelike = like a beetle.** Cf. note 16, p. 31.
4. **To whirr :** *ronfler* (un moteur), *vrombir*.
5. **To turn off.** Cf. note 9, p. 62.
6. **To pant :** *haleter*.

Hal fit demi-tour en rampant ; il était en nage, à la fois brûlant et gelé, tout feu, tout glace ; il était sûr que les cymbales allaient se mettre en branle et qu'à ce moment-là, le singe bondirait de sa boîte et s'élancerait dans sa direction comme un cafard, avec un vrombissement d'engrenages et des coups de cymbales furieux, et... et rien ne se produisit. Il éteignit la lumière, claqua la porte lilliputienne contre laquelle il s'appuya, tout pantelant. Il finit par se calmer un peu. Il descendit en flageolant, prit un sac vide, et se mit à ramasser les morceaux de bouteille et les éclats de verre, en se demandant s'il allait se couper et se vider de son sang ; et si c'était là ce qu'annonçaient les coups de cymbales ? Mais ceci ne se produisit pas non plus. Il prit un torchon et essuya le lait ; puis il s'assit pour guetter le retour de sa mère et de son frère.

Sa mère arriva la première : « Où est Bill ? demanda-t-elle ? »

Convaincu du décès de Bill sur le lieu d'une tragédie, il expliqua que son frère disputait un match à l'école, tout en sachant que, même si la partie avait duré longtemps, il aurait dû être rentré depuis une demi-heure.

Intriguée, sa mère lui demanda ce qui n'allait pas ; sur ces entrefaites, la porte s'ouvrit et Bill entra... mais ce n'était plus le vrai Bill. C'était un Bill fantomatique, pâle et silencieux.

— Que se passe-t-il ? s'écria Mme Shelburn. Bill, que se passe-t-il ?

Bill raconta l'accident avec des larmes plein la voix.

— Il y a eu une voiture, dit-il.

---

7. **Rubber :** *caoutchouc.*
8. **Jagged :** litt. *ébréché.*
9. **Shards :** *fragments, tessons.*
10. **Splinter :** *éclat, esquille.* **To splinter :** *faire voler en éclats.*
11. **To bleed to death :** *mourir à force de saigner.*
12. **To mean** [mi:n], **meant, meant** [ment].
13. **Ghost :** *fantôme, spectre, ombre.*
14. **Silent** ['saılənt].
15. **What's wrong? :** *Qu'est-ce qui ne va pas ?* **There's sth wrong with you ; there's nothing wrong with him.**
16. **Tear** [tıə] **:** *larme* ; **to tear** [teə] **:** *déchirer.*

He and his friend Charlie Silverman were walking home together after the meeting and the car came around Brook Street Corner too fast and Charlie had frozen [1], Bill had tugged [2] Charlie's hand once but had lost his grip and the car –

Bill began to bray out loud, hysterical sobs, and his mother hugged him to her, rocking [3] him, and Hal looked out on the porch and saw two policemen standing there. The squad car in which they had conveyed Bill home was standing at the curb [4]. Then he began to cry himself... but his tears were tears of relief [5].

It was Bill's turn to have nightmare now – dreams in which Charlie Silverman died over and over [6] again, knocked out of his Red Ryder cowboy boots [7] and was flipped [8] onto the hood [9] of the rusty Hudson Hornet [10] the drunk [11] had been piloting. Charlie Silverman's head and the Hudson's windshield [12] had met with explosive force. Both had shattered [13]. The drunk driver, who owned a candy store [14] in Milford, suffered a heart attack shortly after being taken into custody [15] (perhaps it was the sight of Charlie Silverman's brains drying on his pants), and his lawyer [16] was quite successful at the trial [17] with his "this man has been punished enough" theme. The drunk was given sixty days (suspended) and lost his privilege to operate a motor vehicle [18] in the state of Connecticut [19] for five years... which was about as long as Bill Shelburn's nightmare lasted. The monkey was hidden away again in the back closet. Bill never noticed it was gone from his shelf... or if he did, he never said.

---

1. **To freeze, froze, frozen :** *geler.*
2. **To tug :** *tirer par petites secousses.*
3. **To rock :** *bercer.* Cf. **a rocking chair.**
4. **Curb :** (US) *bord du trottoir* ; (GB) **kerb.**
5. **Relief** [rɪ'li:f] **:** *soulagement.* **To relieve :** *soulager.*
6. **Over and over again** indique l'idée de répétition.
7. **Red Ryder cowboy boots :** *bottes de cow-boy* que portait Red Ryder, héros de dessins animés très populaire.
8. **To flip :** litt. *donner une chiquenaude.* Ici idée d'un arrachement rapide et violent.
9. **Hood :** US, *capot* ; GB : *bonnet.* **Hood** signifie aussi *capuchon.* Cf. **Red Riding Hood :** *le Petit Chaperon Rouge.*
10. **Hudson Hornet :** marque de voiture.
11. **A drunk** ou **drunkard :** *un ivrogne.*

Il rentrait avec son ami Charlie Silverman après le match ; une voiture avait surgi à vive allure au carrefour de Brook Street, et Charlie était resté planté là ; Bill l'avait tiré par la main, mais il avait lâché prise et la voiture...

Bill se mit à brailler, secoué de sanglots convulsifs ; sa mère le berça contre sa poitrine. Hal vit deux agents sur la véranda. La voiture de police dans laquelle ils avaient raccompagné Bill attendait au bord du trottoir. Hal fondit en larmes à son tour... mais c'étaient des larmes de soulagement.

Cette fois, ce fut Bill qui fit des cauchemars : il rêvait sans cesse de la mort de Charlie Silverman ; il le voyait se faire arracher de ses bottes de cow-boy et catapulter sur le capot de l'Hudson Hornet rouillée conduite par un ivrogne. La tête de Charlie Silverman avait heurté le pare-brise de l'Hudson avec une extrême violence. Ils avaient éclaté l'un et l'autre. Le conducteur ivre, un confiseur de Milford, eut une crise cardiaque peu de temps après son incarcération (peut-être à cause du spectacle de la cervelle en train de sécher sur son pantalon), et son avocat obtint un franc succès au procès en développant le thème de « l'homme qui a déjà été amplement puni ». L'ivrogne fut condamné à soixante jours (avec sursis) et cinq ans de retrait de permis de conduire dans le Connecticut... ce qui correspondit à peu près à la période des cauchemars de Bill Shelburn. Le singe était à nouveau dans le débarras. Bill ne remarqua pas qu'il avait disparu de son étagère ; en tout cas, il n'en souffla mot.

---

12. **Shield :** *bouclier* ; **windshield :** *pare-brise.*
13. **To shatter :** *se briser* (violemment), *s'écraser.*
14. *Un bonbon :* (US) **a candy** ; (GB) **a sweet.** *Une boutique :* (US) **a store** ; (GB) **a shop.**
15. *Prison :* **jail** ; on peut aussi dire **custody**, surtout aux US, mais dans un contexte généralement plus juridique.
16. **Law :** *la loi* ; **a lawyer :** *un homme de loi* ou, plus précisément, selon le contexte, *un avocat.*
17. **To try :** *essayer,* mais peut aussi signifier *faire passer en jugement* (litt., *à l'épreuve*). **Trial** [traiəl] **:** *un procès.*
18. **Vehicle** [vɪːkl].
19. **Connecticut** [kə'netɪkət] **:** État le plus méridional de la **Nouvelle-Angleterre**, situé au nord de **New York.**

Hal felt safe for a while. He even began to forget about the monkey again, or to believe it had only been a bad dream. But when he came home from school on the afternoon his mother died, it was back on his shelf, cymbals poised, grinning down at him.

He approached it slowly, as if from outside himself – as if his own body had been turned into a wind-up toy at the sight of the monkey. He saw his hand reach out and take it down. He felt the nappy fur crinkle under his hand, but the feeling was muffled, mere pressure, as if someone had shot [1] him full of Nocovain. He could hear his breathing, quick and dry, like the rattle [2] of wind through straw.

He turned it over and grasped the key and years later he would think that his drugged fascination was like that of a man who puts a six-shooter [3] with one loaded chamber [4] against a closed and jittering [5] eyelid and pulls the trigger [6].

No don't – let it alone throw it away don't touch it –

He turned the key and in the silence he heard a perfect tiny series of winding-up clicks [7]. When he let the key go, the monkey began to clap its cymbals together and he could feel its body jerking, bend-and-*jerk*, bend-and-*jerk* [8], as if it were alive, it *was* alive, writhing [9] in his hand like some loathsome [10] pygmy, and the vibration he felt through its balding [11] brown fur was not that of turning cogs but the beating of its heart.

With a groan, Hal dropped the monkey and backed away, fingernails digging into the flesh under his eyes, palms pressed to his mouth. He stumbled over something and nearly lost his balance (then he would have been right down on the floor with it [12], his bulging [13] blue eyes looking into its glassy hazel ones).

---

1. **To shoot, shot, shot :** 1) *tirer* (un coup de feu) ; 2) *filer à toute vitesse* (comme une balle de fusil) ; 3) *faire une piqûre*. **A shot :** *un coup de feu*, ou *une piqûre*.
2. **Rattle :** *bruit de crécelle, de ferraille, de chaînes*, etc. **A rattle-snake :** *un serpent à sonnettes*.
3. **A six-shooter :** *un revolver à répétition*. Au 19ᵉ siècle, les usines Colt ont produit les premières armes de ce type.
4. **Chamber** ['tʃeimbə] **:** *alvéole, culasse*.
5. **To jitter :** *trembloter*, US.
6. **Trigger :** *gâchette* ; **he is trigger happy :** *il a la détente facile*.

Pendant quelque temps, Hal se sentit en sécurité. Il commença même à oublier le singe, ou à se dire qu'il ne s'était agi que d'un mauvais rêve. Mais lorsqu'il rentra de l'école le jour de la mort de sa mère, le singe avait réapparu : du haut de son étagère, il lui souriait, cymbales en suspens.

Hal s'approcha lentement, comme si c'était lui qui revenait, comme si son propre corps s'était transformé en jouet mécanique à la vue du singe. Il se vit tendre la main et le prendre sur l'étagère. Il perçut le froissement de la peluche contre sa paume, mais c'était une sensation feutrée, anesthésiée, une simple pression, comme s'il avait été bourré de novocaïne. Il entendait sa propre respiration, sèche et saccadée, comme le crépitement du vent dans de la paille.

Il retourna le singe et saisit la clef ; il était hébété, comme sous l'effet d'un stupéfiant et, des années plus tard, il se dit que cet état ressemblait à la panique des hommes qui appliquent un revolver à répétition chargé d'une seule balle sur leur paupière close et appuient sur la gâchette.

Non... laisse ça, jette-le, n'y touche pas.

Il tourna la clef ; dans le silence, il entendit cliqueter le remontoir. Quand il lâcha la clef, le singe se mit à entrechoquer ses cymbales et Hal sentit les secousses de ce corps qui se courbait et se redressait, *clic-clac, clic-clac*, comme un être animé ; mais c'était *bien* un être animé : il se tortillait dans sa main comme un pygmée abject, et ce qu'il sentait vibrer sous la fourrure marron à moitié élimée, ce n'était pas le mouvement du mécanisme, mais le battement de son cœur.

Hal laissa tomber le singe avec un gémissement et battit en retraite, les paumes pressées sur sa bouche et les ongles plantés dans sa chair, juste au-dessous des yeux. Il trébucha sur un objet : il faillit perdre l'équilibre et se retrouver par terre avec le singe, ses yeux bleus exorbités fixant les yeux noisette et vitreux.

---

7. **He heard... clicks :** litt. *il entendit une série parfaite de minuscules cliquetis de remontoire.*
8. **Bend and jerk :** litt. *courbe et secousse*. Dans la traduction, on a préféré conserver l'effet de style à la trad. littérale.
9. **To writhe** [raɪð] **:** *se tortiller* (comme un ver).
10. **Loathe :** *répugner* ; **loathsome** ['ləʊðsəm] **:** *répugnant.*
11. **Bald :** *chauve* ; **balding :** *en voie de devenir chauve.*
12. **Then... with it :** litt. *alors, il se serait retrouvé par terre avec lui.*
13. **Bulge :** *renflement, saillie.*

He scrambled toward the door, backed through it, slammed it, and leaned [1] against it. Suddenly he bolted for the bathroom and vomited.

It was Mrs. Stukey from the helicopter plant who brought the news [2] and stayed with them those first two endless nights, until Aunt Ida got down from Maine. Their mother had died of a brain embolism in the middle of the afternoon. She had been standing at the water cooler [3] with a cup of water in one hand and had crumpled as if shot, still holding the paper cup in one hand. With the other she had clawed [4] at the water cooler and had pulled the great glass bottle of Poland water [5] down with her. It had shattered... but the plant doctor, who came on the run, said later that he believed Mrs. Shelburn was dead before the water had soaked [6] through her dress and her underclothes to wet her skin. The boys were never told any of this, but Hal knew anyway. He dreamed it again and again on the long nights following his mother's death. *You still have trouble gettin [7] to sleep, little brother?* Bill had asked him, and Hal supposed Bill thought all the thrashing [8] and bad dreams had to do [9] with their mother dying so suddenly, and that was right... but only partly right. There was the guilt; the certain, deadly [10] knowledge that he had killed his mother by winding the monkey up on that sunny after-school afternoon.

●● When Hal finally fell asleep [11], his sleep must have been deep. When he awoke, it was nearly noon. Petey was sitting cross-legged in [12] a chair across the room, methodically eating an orange section by section and watching a game show on TV.

---

1. **To lean :** *se pencher* ; **to lean against sth. :** *s'appuyer sur qqch.*
2. **News :** prend toujours un **s** et est toujours singulier. **What is the news ? :** *quelles sont les nouvelles ?* **News bulletin :** *bulletin d'information.* **No news is good news :** *pas de nouvelles, bonnes nouvelles.*
3. **Water cooler :** *réservoire d'eau fraîche* que l'on trouve dans la plupart des bâtiments publics ou des usines et firmes américaines.
4. **Claw :** *griffe.* **To claw :** *s'agripper.*
5. **Poland :** *la Pologne.* **Poland water :** *eau fraîche* contenue dans les réservoires mis à la disposition du public.

Il se sauva vers la porte, la franchit à reculons, la claqua, et s'appuya dessus. Tout à coup, il se précipita dans la salle de bains pour vomir.

C'est Mme Stukey, une employée de l'usine d'hélicoptères, qui apporta la nouvelle et resta auprès d'eux pendant deux longues nuits, en attendant que leur tante Ida arrive du Maine. Leur mère avait succombé à une embolie cérébrale au milieu de l'après-midi. Elle s'était effondrée devant le distributeur d'eau fraîche, comme foudroyée par un coup de feu, un gobelet à la main. Elle s'était raccrochée au distributeur d'eau et avait entraîné dans sa chute le grand réservoir de verre. Celui-ci s'était brisé... mais le médecin de l'usine, qui était accouru aussitôt, déclara qu'à son avis, la mort était intervenue avant que l'eau ne traverse sa robe et ses sous-vêtements. On épargna ces détails aux enfants, mais Hal savait. Cette scène lui apparut mainte fois en rêve durant les longues nuits qui suivirent la mort de sa mère. *Tu as toujours du mal à t'endormir, petit frère ?* lui avait demandé Bill. Hal supposait que Bill croyait que la mort soudaine de leur mère était la cause de son agitation et de ses mauvais rêves. Mais ce n'était que partiellement exact. Il y avait aussi une part de culpabilité : il était hanté par la certitude absolue d'avoir tué sa mère en remontant le singe au cours de ce bel après-midi, après l'école.

Quand il parvint enfin à s'endormir, Hal sombra dans un profond sommeil. Il ne se réveilla que vers midi. Assis en tailleur sur un siège au fond de la chambre, Petey regardait un jeu télévisé en mangeant méthodiquement une orange, quartier par quartier.

---

6. **To soak :** *imprégner.* **The water... skin :** litt. *l'eau n'ait traversé* (**through**) *par imprégnation sa robe et ses sous-vêtements pour mouiller sa peau.*
7. **Gettin :** transcription de **getting** (élision du **g** final de la forme en **ing** fréquente aux US).
8. **To thrash :** 1) *battre, rosser* ; 2) *s'agiter, se débattre.*
9. **This has nothing to do with it :** *cela n'a rien à voir.*
10. **Deadly :** *mortel* ; par ext. : *total, absolu.*
11. **To fall asleep :** *s'endormir.*
12. Noter l'emploi de la prép. **in** : **to sit in a chair**.

Hal swung his legs out of bed, feeling as if someone had punched him down into sleep... and then punched [1] him back out of it. His head throbbed [2]. "Where's your mom, Petey?"

Petey glanced around. "She and Dennis went shopping. I said I'd hang [3] out here with you. Do you always talk in your sleep, Dad?"

Hal looked at his son cautiously. "No. What did I say?"

"I couldn't make it out [4]. It scared me, a little."

"Well, here I am in my right mind [5] again," Hal said, and managed [6] a small grin. Petey grinned back, and Hal felt simple love for the boy again, an emotion that was bright and strong and uncomplicated. He wondered why he had always been able to feel so good about Petey, to feel he understood Petey and could help him, and why Dennis seemed a window too dark to look through [7], a mystery in his ways and habits [8], the sort of boy he could not understand because he had never been that sort of boy. It was too easy to say that the move from California had changed Dennis, or that –

His thoughts froze [9]. The monkey. The monkey was sitting on the windowsill [10], cymbals poised. Hal felt his heart stop dead in his chest [11] and then suddenly begin to gallop. His vision wavered [12], and his throbbing head began to ache [13] ferociously.

It had escaped from the suitcase and now stood on the windowsill, grinning at him. *Thought you got rid of me, didn't you? But you've thought that before, haven't you?*

Yes, he thought sickly [14]. Yes, I have.

---

1. **Punched... out of it** : Noter l'importance des prépositions et des postpositions (**down into** et **back out of**) qui déterminent le sens et ne peuvent se traduire en français que par des verbes.
2. **To throb** : *palpiter, battre* (cœur, artères).
3. **To hang, hung, hung** : *pendre, suspendre, rester en suspens* ; **to hang around** : *traîner, traînasser*. Ici, **hang out** : expr. fam. pour *rester*.
4. **To make out** : *distinguer, percevoir*.
5. **I am in my right mind** : litt. *je suis dans mon esprit normal.*
6. **To manage** ['mænidʒ] = **to succeed** : *réussir*.
7. **Why... through** : litt. *pourquoi Dennis semblait une fenêtre trop sombre pour voir à travers.*

Hal projeta ses jambes hors du lit ; c'était comme si on lui avait asséné un coup de poing pour l'endormir,... et un autre pour le réveiller. Des élancements lui trouaient le crâne : « Où est ta maman, Petey ? »

Petey se retourna : « Elle est sortie faire des courses avec Dennis. J'ai préféré rester avec toi. Tu parles toujours dans ton sommeil, papa ? »

Hal regarda son fils avec circonspection :

—Non. Qu'est-ce que j'ai dit ?

— Je n'ai pas compris. Ça m'a fait un peu peur.

— Bon, me revoilà dans mon état normal », dit Hal en s'efforçant de sourire. Petey sourit aussi, et Hal eut un nouvel élan d'amour paternel, une émotion forte, limpide, élémentaire. Il se demanda pourquoi il avait toujours éprouvé tant d'affection pour Petey, pourquoi il se sentait capable de l'aimer et de l'aider, alors qu'il ne parvenait pas à percer l'opacité de Dennis dont le comportement et les habitudes constituaient pour lui une énigme, parce qu'il ne ressemblait pas à l'enfant qu'il avait été lui-même. Dire que leur départ de Californie avait transformé Dennis était une explication un peu courte...

Soudain, la vision du singe interrompit le fil de sa pensée : il était là, assis sur le rebord de la fenêtre, cymbales en suspens. Le cœur de Hal s'arrêta net, puis repartit au galop. Sa vue se troubla et des élancements atroces lui taraudèrent la tête.

Le singe s'était échappé de la valise et siégeait maintenant sur le rebord de la fenêtre. Il lui souriait. *Tu te croyais débarrassé de moi, hein ? Mais ce n'est pas la première fois que tu te le figures, non ?*

Oui, se dit Hal avec horreur. Oui, c'est vrai.

---

8. **Ways and habits :** redondance, pléonasme qui crée un effet de style en anglais, mais qui alourdirait le français.
9. **To freeze, froze, frozen :** *geler*. Litt. : *ses pensées se figèrent.*
10. **Windowsill :** *rebord de fenêtre.*
11. **Chest :** *poitrine.*
12. **To waver :** *vaciller ; hésiter, se troubler.*
13. **To ache** [eik] **:** *faire mal.* **A headache :** *une migraine.* **My throat aches :** *j'ai mal à la gorge.*
14. **Sick :** *malade.* **Sickly :** 1) *maladif* ; 2) *avec horreur.*

"Pete, did you take that monkey out of my suitcase [1]?" he asked, knowing the answer already. He had locked the suitcase and had put the key in his overcoat pocket.

Petey glanced at the monkey, and something – Hal thought it was unease – passed over his face. "No," he said. "Mom put it there."

"Mom did?"

"Yeah. She took it from you. She laughed [2]."

"Took it from me? What are your talking about?"

"You had it in bed with you. I was brushing my teeth, but Dennis saw. He laughed, too. He said you looked like a baby with a teddy bear [3]."

Hal looked at the monkey. His mouth was too dry to swallow. He'd had it in *bed* with him? In *bed*? That loathsome fur against his cheek, maybe against his *mouth*, those glaring eyes staring into his sleeping face, those grinning teeth near his neck? *On* his neck? Dear *God*.

He turned abruptly and went to the closet [4]. The Samsonite was there, still locked. The key was still in his overcoat pocket.

Behind him, the TV snapped off [5]. He came out of the closet slowly. Peter was looking at him soberly [6]. "Daddy, I don't like that monkey," he said, his voice almost too low to hear.

"Nor do I [7]," Hal said.

Petey looked at him closely [8], to see if he was joking, and saw that he was not. He came to his father and hugged [9] him tight. Hal could feel him trembling [10].

---

1. **Suitcase** ['sju:keɪs] ; US : ['su:tkeɪs].
2. **Laugh** [lɑ:f].
3. **A teddy bear** [bɛə] **:** *un ours en peluche.*
4. **Closet :** *cabinet, débarras, placard.*
5. **To snap :** *saisir d'un coup de dent ; happer quelque chose ; casser net.* Accompagné d'une postposition, ce vocable confère surtout l'idée de rapidité, de brusquerie. Il faut alors traduire la postposition anglaise par un verbe, et nuancer ce verbe par un adverbe

— Pete, c'est toi qui as sorti le singe de ma valise ? » demanda-t-il ; mais il connaissait la réponse à l'avance. Il avait verrouillé la valise et mis la clef dans la poche de son pardessus.

Petey regarda le singe et Hal eut l'impression qu'il avait l'air gêné.

— Non, dit-il. C'est maman qui l'a mis là.

— Maman ?

— Ouais. Elle te l'a pris. Ça l'a fait rire.

— Elle me l'a pris ? Qu'est-ce que tu racontes ?

— Tu l'avais emmené dans ton lit. Moi, je me lavais les dents, mais Dennis l'a vu. Ça l'a fait rire, lui aussi. Il a dit que tu ressemblais à un bébé avec un nounours.

Hal regarda le singe. Il avait la bouche trop sèche pour avaler. Emmené dans son *lit* ? Dans son *lit* ? Cette fourrure abjecte contre sa joue, peut-être contre sa *bouche*, ces yeux menaçants le dévisageant pendant son sommeil, ce rictus et ces dents près de son cou ? *Sur* son cou ? Grand *Dieu* !

Il se retourna brusquement pour aller dans le débarras. La valise s'y trouvait toujours ; la serrure était fermée et la clef dans la poche de son pardessus.

Derrière lui, la télé s'arrêta net. Il sortit lentement du débarras. Peter le regardait tranquillement.

— Papa, je n'aime pas ce singe, dit-il d'une voix à peine audible.

— Moi non plus, dit Hal.

Petey le regarda attentivement pour voir s'il plaisantait, et constata qu'il n'en était rien. Il alla vers son père et le serra très fort. Hal s'aperçut qu'il tremblait.

---

dont le sens correspond au verbe anglais. Cf. **To snap back :** *revenir brusquement* ; **the child was snapped up by his father :** *le père reprit vertement son enfant.*

6. **Sober** ['səubə] **:** *modéré, tempéré, tranquille.*
7. **Nor do I**, ou **Neither do I :** *moi non plus.*
8. **Closely** ['kləusli].
9. **Hugged him tight :** Cf. note 10, p. 55.
10. **To tremble** [treml].

Petey spoke into his ear then, very rapidly, as if afraid he might not have courage enough[1] to say it again... or that the monkey might overhear[2].

"It's like[3] it looks at you. Like it looks at you no matter where you are in the room. And if you go into the other room, it's like it's looking through the wall at you. I kept feeling like it... like it wanted me for something."

Petey shuddered[4]. Hal held him tight.

"Like it wanted you to wind it up," Hal said.

Pete nodded violently. "It isn't really broken, is it, Dad?"

"Sometimes it is," Hal said, looking over his son's shoulder at the monkey. "But sometimes it still works[5]."

"I kept[6] wanting to go over there and wind it up. It was so quiet, and I thought, I can't, it'll wake up Daddy, but I still wanted to, and I went over and I... I *touched* it and I hate the way it feels... but I liked[7] it, too... and it was like it was saying, Wind me up, Petey, we'll play, your father isn't going to wake up, he's never going to wake up at all, wind me up, wind me up..."

The boy suddenly burst into tears.

"It's bad, I know it is. There's something wrong with it. Can't we throw it out, Daddy? Please?

The monkey grinned its endless grin at Hal. He could feel Petey's tears between them. Late-morning sun glinted[8] off[9] the monkey's brass cymbals – the light reflected upward and put sun streaks[10] on the motel's plain[11] white stucco ceiling.

"What time[12] did your mother think she and Dennis would be back, Petey?"

---

1. En principe, **enough** se place avant un nom et après un adj. En américain, cette règle n'est pas toujours observée.
2. **To overhear :** *surprendre* (une conversation).
3. Anglais non standard. En principe, **like** est une préposition, et non une conjonction, comme ici, dans la bouche du petit Américain. On devrait dire **It's as if it looked at you**.
4. **To shudder :** *frémir*.
5. **To work** peut avoir le sens de *fonctionner, marcher*.
6. **To keep** + forme en **ing** = idée de continuité, de répétition, ici obsessionnelle.
7. **I like the way it looks :** *j'aime son aspect* ; **the way it smells :** *son odeur* ; **the way it sounds :** *sa sonorité*, etc.

Alors Petey lui parla très vite à l'oreille, de peur que le courage ne lui manquât... ou que le singe ne l'entendît.

— On dirait qu'il vous regarde. Que, dans la pièce, on ne peut échapper à son regard. Et si on change de pièce, on dirait qu'il vous regarde à travers le mur. J'avais sans cesse l'impression qu'il... qu'il voulait que je fasse quelque chose.

Petey frissonna. Hal le serra très fort.

— Qu'il voulait que tu le remontes, dit Hal.

Petey acquiesça violemment de la tête.

— Il n'est pas vraiment cassé, n'est-ce pas, papa ?

— Quelquefois si, dit Hal en regardant le singe par-dessus son épaule. Mais d'autres fois, il fonctionne.

— Je ne pouvais pas m'empêcher d'avoir envie de le remonter. Il était si tranquille ; je me suis dit : « Il ne faut pas ; ça va réveiller papa », mais en même temps j'en avais envie, et j'y suis allé et je... *je l'ai touché* et son contact me répugne... mais en même temps c'était agréable... et il semblait dire : « Remonte-moi, Petey, on va jouer ensemble, ton père ne va pas se réveiller, il ne se réveillera jamais, remonte-moi, remonte-moi... »

L'enfant fondit soudain en larmes.

— Il est méchant, je le sais. Il a quelque chose d'anormal. S'il te plaît, papa, on ne peut pas le jeter ?

Avec son éternel rictus, le singe regardait Hal. Les larmes de Petey coulaient entre eux. Les cymbales de cuivre miroitaient, et les reflets du soleil de midi zébraient le plafond de stuc blanc du motel.

— A quelle heure ta mère compte-t-elle rentrer avec Dennis, Petey ?

---

8. **To glint** : *lueur humide, miroitement.*
9. **Off** indique l'idée de séparation ou, par extension, comme ici, de provenance. Litt. *le miroitement se séparait* (émanait) *des cymbales.*
10. **Streak** : *rayure, zébrure.* Cf. **stripe** (**Stars and stripes** : *le drapeau américain*).
11. **Plain** : *simple, ordinaire.* La traduction supporterait mal les accumulations d'adjectifs souvent redondants de Stephen King, qui n'ajoutent pas grand-chose au sens.
12. **What time**, pour **at what time...**

"Around one." He swiped [1] at his red eyes with his shirt sleeve, looking embarrassed at his tears. But he wouldn't [2] look at the monkey. "I turned on [3] the TV," he whispered. "And I turned it up loud [4]."

"That was all right, Petey."

How would it have happened? Hal wondered. *Heart attack? An embolism, like my mother? What? It doesn't really matter, does it?*

And on the heels [5] of that, another, colder thought: *Get rid of it, he says. Throw [6] it out. But can it be gotten rid of? Ever?*

The monkey grinned mockingly at him, its cymbals held a foot apart. Did it suddenly come to life on the night Aunt Ida died? he wondered suddenly. Was that the last sound she heard, the muffled *jang-jang-jang* of the monkey beating its cymbals together up in the black attic [7] while the wind whistled along the drainpipe [8]?

"Maybe not so crasy," Hal said slowly to his son. "Go get [9] your flight [10] bag, Petey."

Petey looked at him uncertainly. "What are we going to do?"

Maybe it can be got rid of. Maybe permanently, maybe just for a while [11]... a long while or a short while. Maybe it's just going to come back and come back and that's all this is about... but maybe I – we – can say good-bye to it for a long time. It took twenty years to come back this time. It took twenty years to get out of the well...

"We're going to go for a ride [12]," Hal said. He felt fairly calm [13], but somehow too heavy inside his skin [14].

---

1. **Swipe**, ou, plus couramment **wipe :** *essuyer*.
2. **Would :** ici, idée de volonté.
3. **To turn on the light**, **the radio :** *allumer* ≠ **turn off**, ou **switch off**.
4. Pour un son : **loud** [laʊd] **:** *fort* ≠ **low** [ləʊ] **:** *faible, bas.* **To speak aloud :** *à voix haute* ; **to speak in a low voice :** *tout bas* ; **to speak loudly :** *fort.* **A bass** [beɪs] **:** *une basse* ; **a double bass :** *contrebasse. La hauteur d'une note* : **pitch** ; **to give the pitch :** *donner le la.*
5. **Heel :** *talon.*
6. **To throw, threw, thrown.**
7. **Attic :** *mansarde, grenier.*

— Vers une heure. » Il essuya ses yeux rougis avec la manche de sa chemise : il avait un peu honte de pleurer. Mais il ne voulait pas regarder le singe. « J'ai allumé la télé, et je l'ai mise très fort. »

— Tu as bien fait, Petey.

Comment serait-ce arrivé ? se demanda Hal. *Crise cardiaque ? Embolie, comme sa mère ? Ou quoi ? Quelle importance, d'ailleurs ?*

Et, dans la foulée, il pensa froidement : *Débarrasse-t'en, jette-le. Mais pourra-t-on jamais s'en débarrasser ?*

Le singe le contemplait avec un sourire narquois, les cymbales à trente centimètres l'une de l'autre. S'était-il soudain animé la nuit de la mort de sa tante ? Ida s'était-elle éteinte en entendant les *coups de cymbales* étouffés du singe dans le grenier noir et le sifflement du vent dans la gouttière ?

— Peut-être pas si fou que ça, dit lentement Hal à son fils. Va chercher ton sac de voyage, Petey.

Petey le regarda d'un air hésitant : « Qu'allons-nous faire ? »

Peut-être qu'on peut s'en débarrasser. Pour toujours, ou pour une période plus ou moins longue. Peut-être continuera-t-il à revenir sans cesse, on verra bien. Mais peut-être que je... que nous pourrons lui dire au revoir pour longtemps. Il lui a fallu vingt ans pour réapparaître cette fois-ci. Vingt ans pour sortir du puits.

— Nous allons faire un tour en voiture », dit Hal. Il se sentait plutôt calme, mais pesant.

---

8. **Pipe :** *tuyau* ; **to drain :** *drainer.* **Drain pipe** ou **gutter :** *gouttière.*
9. **Go get :** fam. pour **go and get**.
10. **Flight :** *vol,* ou *voyage en avion.* **Flight bag :** litt. *sac de vol, sac de voyage en avion.* **Have a good flight :** *bon voyage* (en avion). **Have a nice trip :** *bon voyage* (dans tous les cas).
11. **While :** subst. Idée d'espace de temps.
12. **To ride, rode, ridden :** *monter à cheval, faire une promenade à cheval* et, par extension, *en voiture.* **To go for a ride :** *aller faire une promenade* (ou un voyage) *en voiture.*
13. **Calm** [ka:m].
14. Litt. *en quelque sorte trop lourd à l'intérieur de sa peau.*

Even his eyeballs seemed to have gained[1] weight. "But first I want you to take your flight bag out there by the edge of the parking lot and find three or four good-sized[2] rocks. Put them inside the bag and bring it back to me. Got it?"

Understanding flickered[3] in Petey's eyes. "All right, Daddy."

Hal glanced at his watch. It was nearly 12:15[4]. "Hurry. I want to be gone before your mother gets back."

"Where are we going?"

"To Uncle Will's and Aunt Ida's," Hal said. "To the home place."

Hal went into the bathroom, looked behind the toilet, and got the bowl[5] brush leaning there. He took it back to the window and stood there with it in his hand like a cut-rate[6] magic wand[7]. He looked out at Petey in his melton shirt-jacket, crossing the parking lot with his flight bag, DELTA[8] showing clearly in white letters against[9] a blue field. A fly bumbled[10] in an upper corner of the window, slow and stupid with the end of the warm season. Hal knew how it felt.

He watched Petey hunt up three good-sized rocks and then start back across the parking lot. A car came around the corner of the motel, a car that was moving too fast, much too fast, and without thinking, reaching with the kind of reflex a good shortstop shows going to his right, the hand holding the brush flashed[11] down, as if in a karate chop[12]... and stopped.

The cymbals closed soundlessly on his intervening hand, and he felt something in the air. Something like rage.

---

1. **To gain weight :** *prendre du poids.*
2. **Good-sized :** litt. *de bonne taille.*
3. **To flicker :** *jaillir comme un éclair.* La phrase signifie littéralement : *la compréhension jaillit comme un éclair dans les yeux de Petey.*
4. GB : **quarter past 12** ; **ten to 2** ; US : **15 after 12**, ou **15** ; **10 before 2**.
5. **Bowl** [bəul] : *bol ; cuvette* (dans les toilettes) ; **a salad bowl :** *un saladier.*
6. **Rate :** *taux, prix.* **Cut rate :** *à prix réduit, en solde.*
7. **Wand** [wɔnd] : *baguette magique.*
8. **DELTA :** compagnie aérienne (US) dont le siège social se trouve au Texas.

Même ses globes oculaires semblaient alourdis. « Mais d'abord, tu vas aller au bout du parking avec ton sac de voyage pour ramasser trois ou quatre grosses pierres. Mets-les dans ton sac et ramène-les-moi. Tu as compris ?

Petey le regarda d'un air entendu. « D'accord, papa. »

Hal jeta un coup d'œil sur sa montre. Il était presque midi et quart.

— Dépêche-toi. Il faut partir avant le retour de ta mère.

— Où allons-nous ?

— Chez oncle Will et tante Ida, dit Hal. A la maison de mon enfance.

Hal alla chercher la balayette derrière la cuvette des toilettes. Puis il revint et resta planté devant la fenêtre avec cet objet dans la main, comme une baguette magique de pacotille. Petey portait une veste-chemise ; Hal le regarda traverser le parking avec son sac de voyage ; le blanc des lettres D.E.L.T.A. se détachaient nettement sur le fond bleu d'un champ. Une mouche bourdonnait dans le coin supérieur de la fenêtre ; après la fin de la saison chaude, elle était ralentie et hébétée. Hal connaissait cette sensation.

Il regarda Petey : après avoir trouvé trois grosses pierres, celui-ci commença à retraverser le parking. Une voiture surgit à toute allure au coin du motel ; instinctivement, avec le réflexe d'un boxeur qui esquive un coup, la main qui tenait la balayette s'abattit comme pour exécuter une manchette de karaté... et s'immobilisa.

Les cymbales se refermèrent silencieusement sur la main qui s'était interposée entre elles et Hal sentit quelque chose dans l'air. Une sorte de rage.

---

9. **Against** traduit parfois l'idée de quelque chose qui se détache sur un fond. Cf. **The trees stood out against the sky** : *les arbres se détachaient sur le ciel.*
10. **To bumble** [bʌml] : *bourdonner.* **A bee** : *une abeille* ; **a bumble-bee** : *un bourdon.*
11. **A flash of lightning** : *un éclair.* Le verbe **flash** comporte toujours l'idée de rapidité ; cf. **The car flashed along the road** : *la voiture filait sur la route.*
12. **To chop** : *hacher menu, couper.* Ici, Hal abaisse la main comme un boucher qui donne un coup de hachoir. **A lamb chop** : *une côtelette d'agneau.*

The car's brakes screamed. Petey flinched back. The driver motioned to him, impatiently, as if what had almost happened was Petey's fault, and Petey ran across the parking lot with his collar flapping [1] and into the motel's rear [2] entrance.

Sweat [3] was running [4] down Hal's chest; he felt it on his forehead like a drizzle of oily rain. The cymbals pressed coldly against his hand, numbing it.

Go on, he thought grimly. *Go on, I can wait all day. Until hell freezes over* [5], *if that's what it takes.*

The cymbals drew [6] apart and came to rest. Hal heard one faint *click!* from inside the monkey. He withdrew the brush and looked at it. Some of the white bristles [7] had blackened, as if singed [8].

The fly bumbled and buzzed, trying to find the cold October sunshine that seemed so close.

Pete came bursting in, breathing quickly, cheeks rosy. "I got three good ones, Dad, I – " He broke off [9]. "Are you all right, Daddy?"

"Fine," Hal said. "Bring the bag over."

Hal hooked [10] the table by the sofa over to the window with his foot, so it stood below the sill, and put the flight bag on it. He spread [11] its mouth open like lips. He could see the stones Petey had collected glimmering inside. He used the toilet-bowl brush to hook the monkey forward. It teetered [12] for a moment and then fell into the bag. There was a faint [13] *jing!* as one of its cymbals struck one of the rocks.

"Dad? Daddy?" Petey sounded frightened. Hal looked around at him. Something was different; something had changed. What was it?

---

1. **To flap :** *battre* (des ailes) ; *claquer* (drapeau).
2. **Rear** [riə], ou **back entrance**.
3. **Sweat** [swet] ≠ **sweet** [swi:t].
4. **To run** peut traduire l'idée de *couler*.
5. **Until hell freezes over :** litt. *jusqu'au jour où l'enfer gèlera complètement.*
6. **To draw, drew, drawn :** *tirer.* **To draw apart :** *se séparer.*
7. **Bristle** ['brɪsl] **:** *épines de porc-épic ; poils.* Idée de hérissement.
8. **To singe** [sɪndʒ] **:** *roussir* (au feu).
9. **To break off :** noter une fois de plus l'importance prépondérante de la postposition. **Off** indique l'interruption ; le verbe **break** [breɪk] suggère celle de soudaineté.

Les freins de la voiture crissèrent. Petey fit un saut en arrière. Le conducteur eut un geste d'impatience, comme si ce qui avait failli arriver était la faute de Petey ; celui-ci traversa le parking, son col battant sur son cou, et entra par l'arrière du motel.

La sueur dégoulinait sur la poitrine de Hal ; il la sentait perler sur son front comme une bruine huileuse. Coincées entre les cymbales glaciales, ses mains s'engourdissaient.

Continue, menaça-t-il tout bas. *Continue : j'attendrai toute la journée, ou même jusqu'à l'Apocalypse, si c'est nécessaire.*

Les cymbales s'écartèrent et s'immobilisèrent. Hal entendit un petit déclic à l'intérieur du singe. Il retira la balayette et vit que quelques poils blancs avaient roussi, comme si on les avait passés à la flamme.

En quête du froid soleil d'octobre qui semblait si proche, la mouche bourdonnait.

Pete fit irruption en haletant ; il avait les joues toutes roses. « J'en ai trouvé trois belles, papa, je... » Il s'interrompit. « Ça ne va pas, papa ? »

— Si, si, dit Hal. Donne-moi ce sac.

Avec le pied, il tira jusqu'à la fenêtre la table qui se trouvait à côté du canapé, et y posa le sac qu'il ouvrit comme une bouche. A l'intérieur, il vit luire les pierres que Petey avait ramassées. A l'aide de la balayette, il poussa le singe qui chancela, puis tomba dans le sac. L'une des cymbales *tinta* discrètement en heurtant une pierre.

— Papa ? Papa ? » Petey avait l'air effrayé. Hal se retourna vers lui. Il y avait quelque chose de différent. Qu'y avait-il donc de changé ?

---

10. Hook : *crochet* ; Hal se sert de son pied comme d'un crochet.
11. To spread [spred], **spread, spread :** *étendre, étaler, étirer.* **Spread open :** litt. *tirer l'ouverture du sac pour l'ouvrir.*
12. To teeter (US) **:** *se balancer, chanceler, basculer.*
13. Trad. de *faible* : s'il s'agit du corps, de la santé, du caractère : **weak ≠ strong**. Ex. **A weak child, he is weak in the head** (*faible d'esprit*), ou encore **a weak wine** (*un vin léger*). S'il s'agit d'une couleur, d'un son, d'une idée... : **faint. A loud sound ≠ a faint sound** ; **a vivid colour ≠ a faint colour. To feel faint :** *se sentir mal* ; **faint-hearted :** *pusillanime, timide.*

Then he saw the direction of Petey's gaze [1] and he knew. The buzzing of the fly had stopped. It lay dead on the windowsill.

"Did the monkey do that?" Petey whispered.

"Come on," Hal said, zipping [2] the bag shut. "I'll tell you while we ride out to the home place."

"How can we go? Mom and Dennis took the car."

"Don't worry," Hal said, and ruffled Petey's hair.

He showed the desk clerk [3] his driver's license and a twenty-dollar bill [4]. After taking Hal's Texas Instruments digital watch as collateral, the clerk handed Hal the keys to his own car – a battered AMC [5] Gremlin. As they drove east on Route 302 toward Casco, Hal began to talk, haltingly [6] at first, then a little faster. He began by telling Petey that his father had probably brought the monkey home with him from overseas [7], as a gift [8] for his sons. It wasn't a particularly unique [9] toy – there was nothing strange or valuable about it. There must have been hundreds of thousands of wind-up monkeys in the world, some made in Hong Kong, some in Taiwan, some in Korea. But somewhere along the line – perhaps even in the dark back closet of the house in Connecticut where the two boys had begun their growing up [10] – something had happened to the monkey. Something bad. It might be, Hal said as he tried to coax [11] the clerk's Gremlin up past forty, that some bad things – maybe even most bad things – weren't even really awake and aware [12] of what they were.

---

1. **Gaze :** *regard fixe.*
2. **Zip :** *fermeture éclair.* **To zip the bag shut :** *fermer le sac* dont on sous-entend qu'il est muni d'une fermeture éclair. Cf. constructions analogues : **She danced herself dead :** *elle s'est tuée à force de danser* ; **he drank himself stupid :** *il est devenu stupide à force de boire.*
3. **Clerk :** GB [klɑ:k] ; US [klə:k].
4. **A bill :** *un billet de banque. L'addition* (au restaurant) : GB **bill** ; US **check**.
5. **AMC : American Motor Company** (marque d'automobile).
6. **Haltingly :** *de manière hésitante, en ânonnant.*

En suivant la direction du regard de Petey, il comprit. La mouche ne bourdonnait plus. Elle gisait sur le rebord de la fenêtre. Morte.

— C'est le singe qui a fait ça ? murmura Petey.

— Viens, dit Hal en tirant sur la fermeture éclair du sac. Je t'expliquerai dans la voiture.

— Mais maman et Dennis l'ont prise !

— Ne t'en fais pas, dit Hal en lui ébouriffant les cheveux.

Il présenta son permis de conduire et un billet de vingt dollars au comptoir et laissa en gage la montre à affichage numérique de Texas Instruments à l'employé de service ; celui-ci lui donna les clefs de sa voiture personnelle, une Gremlin A.M.C. toute cabossée. Hal prit la Départementale 32 vers l'est, en direction de Casco, et se mit à parler, d'abord de manière hésitante, puis un peu plus vite. Il expliqua d'abord à Petey que son père avait dû ramener le singe d'outre-mer pour en faire cadeau à ses fils. C'était un jouet ordinaire ; il n'avait rien de particulier ni de précieux. Le monde entier avait sans doute été inondé de singes mécaniques fabriqués à Hong Kong, à Taïwan, ou en Corée. Mais un jour, peut-être dans la maison du Connecticut où les deux enfants avaient commencé à grandir, il était arrivé quelque chose au singe. Quelque chose de mal. Tout en s'efforçant de dépasser le soixante à l'heure sans brusquer la Gremlin, Hal fit remarquer que le mal n'a peut-être pas toujours conscience de ce qu'il représente ; l'a-t-il jamais eue d'ailleurs ?

---

7. **Overseas** : adv. *outre-mer*.
8. **Gift** [gɪft].
9. **Unique** [ju'nɪ:k].
10. **They had begun their growing up**, ou **they had begun growing up** (construction plus fréquente).
11. **To coax** : *cajoler*. **To coax... forty** : litt. *cajoler la voiture Gremlin pour lui faire dépasser le quarante à l'heure*.
12. **Awake and aware** : nouveau doublon onomatopéique, cher à Stephen King. La traduction des deux termes en français serait redondante.

He left it there because that was probably as much as Petey could understand, but his mind[1] continued on its own course. He thought that most evil might be very like a monkey full of clockwork that you wind up; the clockwork turns, the cymbals begin to beat, the teeth grin, the stupid glass eyes laugh... or appear to laugh...

He told Petey about finding the monkey, but little more – he did not want to terrify his already scared boy any more than he was already. The story thus became disjointed[2], not really clear, but Petey asked no questions; perhaps he was filling in the blanks[3] for himself, Hal thought, in much the same way that he had dreamed his mother's death over and over[4], although he had not been there.

Uncle Will and Aunt Ida had both been there for the funeral. Afterward, Uncle Will had gone back to Maine – it was harvesttime[5] – and Aunt Ida had stayed on for two weeks with the boys to neaten up her sister's affairs before bringing them back to Maine. But more than that, she spent the time making herself known to them – they were so stunned[6] by their mother's sudden death that they were nearly comatose. When they couldn't sleep, she was there with warm milk; when Hal woke at three in the morning with nightmares (nightmares in which his mother approached[7] the water cooler without seeing the monkey that floated and bobbed[8] in its cool sapphire[9] depths, grinning and clapping its cymbals, each converging pair of sweeps leaving trails of bubbles behind); she was there when Bill came down with first a fever and then a rash of painful mouth sores[10] and then hives three days after the funeral; she was there.

---

1. **But his mind... course :** litt., *son esprit,* ou *le fil de sa pensée continua sur sa lancée.*
2. **A joint :** *une articulation.* **The story became disjointed :** litt., *l'histoire devint désarticulée.*
3. Trad. de *vide :* 1) **empty ≠ full** (*un récipient, une rue,* etc.) ; **empty stomach** [stʌmək] **:** *estomac vide* ; **a word empty of meaning :** *vide de sens* ; 2) **void,** cf. **to fall void :** *devenir inoccupé* ; **a void voting paper :** *un bulletin nul* ; 3) **a blank :** *un vide, un trou, un blanc* (dans un texte) ; **a blank look :** *un regard vide d'expression* ou *déconcerté* ; **a paper signed in blank :** *signé en blanc.*

Il poursuivit cette réflexion dans son for intérieur, en se disant que Petey était trop petit pour comprendre. Il songea que le mal ressemblait peut-être presque toujours à un singe dont on remonte le mécanisme : les engrenages tournent, les cymbales s'entrechoquent, il sourit de toutes ses dents, les yeux de verre stupides rient... ou paraissent rire...

Il se contenta de raconter à Petey comment il avait découvert le singe afin de ne pas accroître la terreur de l'enfant. Il commença à s'embrouiller mais, malgré le manque de clarté de son récit, Petey ne posa pas de question ; peut-être rétablissait-il tout seul le fil de l'histoire, se dit Hal, de la même manière que, sans y avoir assisté, il avait lui-même si souvent rêvé la mort de sa mère.

Oncle Will et tante Ida étaient venus aux funérailles. Ensuite, oncle Will était rentré chez lui (c'était la saison des moissons) et tante Ida était restée quinze jours avec les garçons pour régler les affaires de sa sœur avant de les emmener dans le Maine. Elle en profita pour les familiariser avec elle (sous le choc de la mort subite de leur mère, ils étaient dans un état semi-comateux). Pendant leurs insommies, elle leur apportait du lait chaud ; elle était présente quand des cauchemars réveillaient Hal à trois heures du matin (des cauchemars où sa mère s'approchait du distributeur d'eau sans voir le singe qui s'ébattait entre deux eaux au fond du liquide bleu saphir en souriant et en entrechoquant ses cymbales, chaque mouvement convergeant de ses bras provoquant une colonne de bulles) ; elle était présente quand Bill, trois jours après l'enterrement, eut un accès de fièvre et une éruption douloureuse dans la bouche, suivie d'une crise d'urticaire ; elle était présente.

---

4. **Over and over (again) :** traduit l'idée de répétition lancinante.
5. **Harvesttime :** noter la liberté prise par les Américains. On devrait logiquement écrire : **harvest time.**
6. **Stunned :** *assommé, abruti, frappé d'étonnement.*
7. **To approach :** v. transitif. *S'approcher de qqn :* **to approach someone.**
8. **To bob :** *se mouvoir de bas en haut* et *de haut en bas ; s'agiter.*
9. **Sapphire** ['sæfaɪə].
10. **Sore :** adj. **To have a sore throat :** *avoir mal à la gorge ;* n. : *une douleur.*

She made herself known to the boys, and before they rode [1] the bus from Hartford to Portland with her, both Bill and Hal had come to her separately and wept on her lap while she held them and rocked them, and the bonding [2] began.

The day before they left Connecticut for good [3] to go "down Maine" (as it was called in those days), the rag-man [4] came in his old rattly [5] truck and picked up the huge pile of useless stuff that Bill and Hal had carried out to the sidewalk [6] from the back closet. When all the junk had been set out by the curb [7] for pickup, Aunt Ida had asked them to go through [8] the back closet again and pick out any souvenirs or remembrances they wanted specially to keep. We just don't have room for it all, boys, she told them, and Hal supposed Bill had taken her at her word and had gone through all those fascinating boxes their father had left behind one final time. Hal did not join [9] his older brother. Hal had lost his taste for the back closet. A terrible idea had come to him during those first two weeks of mourning [10]: perhaps his father hadn't just disappeared, or run away because he had an itchy [11] foot and had discovered marriage [12] wasn't for him.

Maybe the monkey had gotten him.

When he heard the rag-man's truck roaring and farting [13] and backfiring its way down the block [14], Hal nerved himself, snatched the monkey from his shelf where it had been since the day his mother died (he had not dared to touch it until then, not even to throw it back into the closet), and ran downstairs with it. Neither Bill or Aunt Ida saw him.

---

1. **To ride a horse :** *monter à cheval, faire du cheval.* Cf. **to ride a bike** ; par ext. **to ride a bus :** *prendre l'autobus* ou *le car.*
2. **Bonding :** *un lien.*
3. **For good :** *pour de bon.*
4. **Rag :** *chiffon.*
5. **To rattle :** *faire un bruit de ferraille, bringuebaler.*
6. *Trottoir :* (GB) **pavement** ; (US) **sidewalk.**
7. *Bord du trottoir :* (GB) **kerb** ; (US) **curb.** ⚠ **to curb :** *retenir, maîtriser, restreindre.*
8. **To go through :** 1) *traverser* ; 2) **through** peut également indiquer que l'on fait qqch. complètement, systématiquement.

Elle apprit aux enfants à la connaître et, à Hartford, avant qu'ils ne prennent tous trois le bus pour Portland, Bill, tout comme Hal, était venu pleurer sur ses genoux ; elle les avait bercés contre elle. Et ils s'étaient attachés à elle.

La veille de leur départ définitif de Casco (« pour descendre dans le Maine », comme on disait à l'époque), le chiffonnier arriva en bringuebalant dans son vieux camion pour ramasser l'énorme pile d'objets inutiles que Bill et Hal avaient transportés du débarras sur le trottoir. Une fois toute cette camelote déposée au bord de la rue, tante Ida avait proposé de retourner dans le débarras pour prendre les souvenirs auxquels ils tenaient particulièrement. Nous n'avons pas assez de place pour tout emporter, les enfants, dit-elle, et Hal supposa que Bill l'avait prise au mot et qu'il avait fouillé dans toutes les boîtes mirobolantes que leur père avait laissées derrière lui avant son ultime départ. Hal n'avait pas accompagné son frère, car il n'aimait plus le débarras. Pendant les deux premières semaines de deuil, une idée horrible lui était venue : peut-être son père n'avait-il pas simplement disparu ; peut-être ne s'était-il pas simplement enfui parce qu'il avait la bougeotte et s'était aperçu qu'il n'était pas fait pour le mariage.

Peut-être que le singe avait eu sa peau.

En entendant vrombir dans la rue le camion du chiffonnier qui arrivait en crachotant et en pétaradant, Hal prit son courage à deux mains, saisit le singe sur l'étagère où il siégeait depuis la mort de sa mère (il n'avait pas osé le toucher depuis, pas même pour le remiser dans le débarras), et il l'emporta en courant dans l'escalier. Bill et tante Ida ne le virent pas.

---

9. **To join s.o. :** *rejoindre qqn* ; **to join an association :** *adhérer.* Cf. **to join the army :** *s'enrôler.*
10. **Mourning** ['mɔːnɪŋ] **:** *le deuil.*
11. **To itch :** *démanger.* **To have an itchy foot :** *avoir le pied léger, ne pas tenir en place.*
12. **Marriage** ['mærɪdʒ].
13. **To fart :** *péter.* **Blackfire :** *retour de flamme.*
14. **Block** (US) **:** *un pâté de maisons* ; dans les villes en damier américaines, groupe carré ou rectangulaire de maisons situées entre quatre rues perpendiculaires.

Sitting on top of a barrel filled with broken souvenirs and moldy books was the Ralston-Purina carton, filled with similar junk. Hal had slammed the monkey back [1] into the box it had originally come out of, hysterically daring it to begin clapping its cymbals *(go on, go on, I dare you* [2]*, dare you, DOUBLE DARE YOU),* but the monkey only waited there, leaning back nonchalantly, as if expecting a bus, grinning its awful, knowing grin.

Hal stood by, a small boy in old corduroy [3] pants [4] and scuffed [5] Buster Brown, as the rag-man, an Italian gent [6] who wore a crucifix and whistled through the space in his teeth, began loading boxes and barrels into an ancient truck with wooden stake [7] sides. Hal watched as he lifted both the barrel and the Ralston-Purina box balanced atop it; he watched the monkey disappear into the bed of the truck [8]; he watched as the rag-man climbed back into the cab [9], blew his nose [10] mightily into the palm [11] of his hand, wiped his hand with a huge red handkerchief, and started the truck's engine with a roar and a blast [12] of oily blue smoke; he watched the truck draw away. And a great weight had dropped away from his heart – he actually [13] felt it go. He had jumped up and down twice, as high as he could jump, his arms spread, palms held out, and if any of the neighbors had seen him, they would have thought it odd [14] almost to the point of blasphemy, perhaps – *why is that boy jumping for joy* (for that was surely what it was; a jump for joy can hardly be disguised), they surely would have asked themselves, *with his mother not even a month in her grave?*

---

1. **To slam back :** noter une fois de plus que l'action est traduite par la postposition et que le verbe qualifie cette action. **To slam back :** *donner un coup* ; **to slam a door :** *claquer une porte.*
2. **I dare you = I challenge you :** *je te défie.* **Double dare you :** expression enfantine.
3. **Corduroy** ['kɔ:djʊ,rɔɪ] **:** *velours côtelé* (du français *corde du roi*).
4. *Pantalons :* (GB) **trousers** ; (US) **pants.**
5. **Scuff :** *revers* (d'un pantalon) ; cf. **scuff link :** *bouton de manchette.*
6. **Gent :** *gentleman.*
7. **Stake :** 1) *enjeu* ; 2) *épieu.*

Sur une grande caisse de souvenirs cassés et de livres moisis, trônait le carton Omo, lui-même empli de vieux objets. Il flanqua le singe dans la boîte d'où il était sorti, en le défiant rageusement de donner des coups de cymbales *(Vas-y, vas-y, chiche, T'ES PAS CHICHE)*, mais le singe restait là, nonchalamment installé dans la position d'un voyageur qui attend l'autobus, avec son sinistre rictus plein de sous-entendus.

Vêtu d'un vieux pantalon de velours côtelé et chaussé de bottes à rabats, l'enfant regarda le chiffonnier, un monsieur italien qui portait un crucifix et sifflait entre ses incisives, charger cartons et caisses dans un vieux camion dont la plate-forme était flanquée de barreaux de bois. Il le regarda soulever la caisse avec le carton Omo en équilibre dessus ; il regarda le singe disparaître dans la litière du camion ; il regarda le chiffonnier remonter dans la cabine, se moucher vigoureusement dans sa paume, s'essuyer dans un grand mouchoir rouge et appuyer sur le démarreur ; le moteur vrombit, il y eut une explosion et un nuage de gaz bleu, et Hal regarda s'éloigner le camion. Cela lui ôta un gros poids : il sentit littéralement son cœur s'alléger. Il sauta deux fois en l'air, aussi haut que possible, les bras en croix, les mains ouvertes, et si un voisin l'avait vu, il aurait trouvé cela bizarre, voire sacrilège : *comment cet enfant peut-il sauter de joie* (car c'était sûrement le cas : on ne peut contrefaire un saut de joie), se serait-il certainement demandé, *alors que sa mère est à peine en terre ?*

---

8. *Camion :* (GB) **lorry** ; (US) **truck.**
9. **Cab = cabin.**
10. *Se moucher :* **to blow one's nose.**
11. **Palm** [pa:m].
12. **Blast :** *exploser.*
13. ⚠ **Actual :** *véritable* ; **present :** *présent, actuel.* Cf. **genuine** ['dzenjuın] **:** *authentique.*
14. **Odd :** 1) *impair* (chiffre) ≠ **even** ; 2) *dépareillé* ; 3) *non usuel, bizarre.* Cf. **Oddly enough, I came across him in London :** *Par un hasard singulier, je l'ai rencontré à Londres.*

He was doing it because the monkey was gone, gone forever.

Or so he had thought.

Not three months later Aunt Ida had sent him up into the attic to get the boxes of Christmas [1] decorations, and as he crawled around looking for them, getting the knees of his pants dusty [2], he had suddenly come face to face with it again, and his wonder and terror had been so great that he had to bite sharply into the side of his hand to keep from [3] screaming... or fainting [4] dead away. There it was, grinning its toothy grin, cymbals poised a foot apart and ready to clap, leaning [5] nonchalantly back against one corner of a Ralston-Purina carton as if waiting for a bus, seeming to say: *Thought you got rid of me, didn't you? But I'm not that easy [6] to get rid of [7], Hal. I like you, Hal. We were made for each other, just a boy and his pet monkey, a couple of good old buddies [8]. And somewhere south of here there's a stupid old Italian rag-man lying in a claw-foot tub [9] with his eyeballs bulging and his dentures half-popped [10] out of his mouth, his screaming mouth, a rag-man who smells like a burned-out Exide [11] battery. He was saving [12] me for his grandson, Hal, he put me on the bathroom shelf with his soap and his razor and his Burma-Shave and the Philco radio he listened to the Brooklyn Dodgers [13] on [14], and I started to clap, and one of my cymbals hit that old radio and into the tub it went, and then I came to you, Hal, I worked my way along the country roads [15] at night and the moonlight shone off my teeth at three in the morning and I left many people Dead at many Scenes. I came to you, Hal, I'm your Christmas present, so wind me up [16], who's dead? Is it Bill? Is it Uncle Will? Is it you, Hal? Is it you?*

---

1. ⚠ **Christ** [kraɪst] ; **Christmas** ['krɪsməs].
2. **Dust :** *poussière.*
3. **To keep from :** *s'empêcher de...*
4. **To faint :** *s'évanouir.* Cf. note 13, p. 83.
5. **To lean :** *se pencher, pencher* ; **to lean against the wall :** *s'appuyer contre le mur.* **Lean**, adj. **:** *maigre.*
6. **It is not that easy :** *ce n'est pas facile.*
7. **To get rid of sth. :** *se débarrasser de qqch.*
8. **Buddy :** (US) *copain.* Cf. **pal.**
9. **A tub :** *baquet, bac.* **Bath-tub :** *baignoire.*
10. **To pop :** *faire entendre une petite explosion, éclater.* Cf. un

C'était parce que le singe était parti ; parti pour toujours.
Du moins se l'était-il imaginé.

Moins de trois mois plus tard, tante Ida l'avait envoyé quérir les boîtes de décorations de Noël dans le grenier ; il avait sali ses genoux de pantalons en les cherchant à quatre pattes et, soudain, il s'était retrouvé face à face avec le singe ; il fut tellement frappé de terreur et d'étonnement qu'il dut se mordre le gras de la main pour ne pas crier... ou s'évanouir et mourir. Le singe était là, souriant de toutes ses dents, les cymbales à trente centimètres l'une de l'autre, prêtes à l'action ; nonchalamment adossé contre un coin de carton Omo comme un voyageur qui attend l'autobus, il semblait dire : *Tu te croyais débarrassé de moi, hein ? Mais il n'est pas si facile de se débarrasser de moi, Hal. Je t'aime bien, Hal. Nous étions faits l'un pour l'autre : un enfant et son singe en peluche, une bonne paire de copains. Au sud d'ici, il y a quelque part un vieil imbécile de chiffonnier italien allongé dans sa baignoire à pieds de griffon, les yeux exorbités, le dentier à moitié sorti de la bouche, de cette bouche grotesque, un chiffonnier qui sent la pile Wonder hors d'usage. Il me gardait pour son petit-fils, Hal : il m'a mis sur l'étagère de la salle de bains avec son savon, son rasoir, sa crème à raser et le poste de radio Philco sur lequel il écoutait les Brooklyn Dodgers ; mes cymbales se sont mises en branle, et l'une d'elles a heurté le vieux poste qui est tombé dans la baignoire, et alors je suis venu te trouver, Hal : j'ai cheminé la nuit sur les routes de campagne ; la lune brillait sur mes dents à trois heures du matin et j'ai laissé des tas de gens morts sur les Lieux de la Tragédie. Je suis venu te trouver, Hal, je suis ton cadeau de Noël, alors remonte-moi : qui est mort ? Bill ? L'oncle Will ? Toi, Hal ? Toi ?*

---

bouchon de champagne qui saute. Par ext., comme ici, on perd l'idée du bruit et on ne garde que celle de saillie.

11. **Exide :** marque de piles américaine.
12. **To save :** 1) *sauver* ; 2) *économiser*. Cf. **saving account :** *compte d'épargne*. **To save sth. for s.o. :** *garder qqch. pour qqn.*
13. **Brooklyn Dodgers :** équipe de football new-yorkaise.
14. ⚠ Écouter qqch. *à la radio*, regarder qqch. *à la télévision* : **on the radio, on TV.**
15. **I worked my way along the roads :** idée de difficulté, d'action laborieuse ; litt. *je me suis débrouillé à grand-peine pour parcourir les routes.*
16. **To wind up :** cf. note 3, p. 14.

Hal had backed away, grimacing madly, eyes rolling, and nearly fell going downstairs. He told Aunt Ida he hadn't been able to find the Christmas decorations – it was the first lie he had ever told her, and she had seen the lie on his face but had not asked him why he had told it, thank God – and later when Bill came in she asked *him* to look and he brought the Christmas decorations down. Later, when they were alone, Bill hissed[1] at him that he was a dummy who couldn't find his own ass with both hands and a flashlight[2]. Hal said nothing. Hal was pale and silent, only picking at his supper. And that night he dreamed of the monkey again, one of its cymbals striking the Philco radio as it babbled[3] out Dean Martin[4] singing Whenna da moon hitta you eye like a big pizza pie[5] *ats-a moray*, the radio tumbling[6] into the bathtub as the monkey grinned and beat its cymbals together with a *JANG* and a *JANG* and a *JANG*; only it wasn't the Italian rag-man who was in the tub when the water turned electric[7].

It was him.

* * *

Hal and his son scrambled[8] down the embankment behind the home place to the boathouse that jutted out[9] over the water on its old pilings. Hal had the flight bag in his right hand. His throat was dry, his ears were attuned[10] to an unnaturally keen pitch. The bag was very heavy.

Hal set down the flight bag. "Don't touch that," he said. Hal felt in his pocket for the ring of keys Bill had given him and found one neatly labeled B'HOUSE[11] on a scrap of adhesive tape[12].

The day was clear and cold, windy, the sky a brilliant blue.

---

1. **To hiss :** *siffler* (comme un serpent). Ici, litt. *Bill lui parle d'une voix sifflante, méprisante, agressive* (**at** donne l'idée d'agressivité).
2. **Who couldn't... flashlight :** litt. *qui ne pouvait trouver son propre cul avec ses deux mains et une lampe électrique.*
3. **To babble :** *blablater, babiller.*
4. **Dean Martin :** acteur de cinéma et chanteur populaire américain.
5. **Whenna... pizza pie :** transcr. phonétique des paroles de la chanson prononcées avec l'accent italien ; **When the moon hit your eye like a big pizza pie :** litt. *quand la lune a frappé ton œil comme une grosse pizza.*

Hal avait battu en retraite en grimaçant comme un fou et en roulant les yeux ; il faillit tomber dans l'escalier. Il dit à tante Ida qu'il n'avait pas trouvé les décorations de Noël. C'était la première fois qu'il lui mentait, et elle s'en aperçut, mais, Dieu merci, elle ne lui demanda pas pourquoi ; quand Bill rentra, elle *lui* demanda d'aller voir et il descendit les décorations de Noël. Le soir, lorsqu'ils se retrouvèrent seuls, Bill le traita de crétin, incapable de voir plus loin que le bout de son nez. Hal ne souffla mot. Pâle et silencieux, il se contentait de pignocher dans son assiette. Et cette nuit-là, il rêva de nouveau du singe : une cymbale heurtait la radio au moment où Dean Martin égrenait sa chanson « whenna da moon hitta you eye like a big pizza pie *ats-a moray* » ; la radio culbutait dans la baignoire tandis que le singe entrechoquait ses cymbales en souriant : *DING, DING, DING.* Seulement, dans la baignoire, ce n'était pas le chiffonnier qui s'électrocutait.

C'était lui.

* * *

Derrière la maison, Hal et son fils se frayèrent un chemin sur la berge en direction du hangar à bateau érigé au-dessus de l'eau sur de vieux pilotis. Hal tenait le sac de voyage dans sa main droite ; il avait la gorge sèche et l'oreille anormalement sensible. Le sac pesait très lourd.

Il le posa par terre. « N'y touche pas », dit-il. Il chercha dans sa poche le trousseau de clefs que Bill lui avait donné ; l'une d'elles portait une étiquette adhésive sur laquelle on avait soigneusement écrit : HANGAR A BX.

Il faisait beau et froid ; il y avait du vent et le ciel était d'un bleu lumineux.

---

6. **To tumble** [tʌml] : *tomber lourdement, s'écrouler.*
7. **The water turned electric** : litt. *l'eau s'électrifia.*
8. **To scramble** [skræml] : *avancer à quatre pattes ; jouer des pieds et des mains.* **Scrambled eggs** : *œufs brouillés.*
9. **To jut out** : *faire saillie.*
10. **Attuned** : *accordé* (un son) ; **pitch** : *hauteur* (par exemple, d'un son) ; **attuned to an unnaturally keen pitch** : litt., *accordé à une hauteur extraordinairement aiguë, capable de saisir des sons particulièrement ténus.*
11. **B'house** = **Boat house.**
12. **Tape** : *ruban.* Cf. **tape recorder** : *magnétophone* (**tape** : *une bande magnétique*).

The leaves of the trees that crowded [1] up to the verge [2] of the lake had gone every bright fall shade [3] from blood red to schoolbus yellow [4]. They talked in the wind. Leaves swirled [5] around Petey's sneakers [6] as he stood anxiously by, and Hal could smell November just downwind, with winter crowding close behind it.

The key turned in the padlock and he pulled the swing doors open. Memory was strong; he didn't even have to look to kick down the wooden block that held the door open. The smell in here was all summer: canvas [7] and bright wood, a lingering [8] lusty warmth.

Uncle Will's rowboat [9] was still here, the oars neatly shipped as if he had last loaded it with his fishing tackle and two six-packs of Black Label [10] yesterday afternoon. Bill and Hal had both gone out fishing with Uncle Will many times, but never together. Uncle Will maintained the boat was too small for three. The red trim [11], which Uncle Will had touched up [12] each spring, was now faded [13] and peeling, though, and spiders had spun [14] silk in the boat's bow [15].

Hal laid hold of the boat and pulled it down the ramp to the little shingle of beach. The fishing trips had been one of the best parts of his childhood with Uncle Will and Aunt Ida. He had a feeling that Bill felt much the same. Uncle Will was ordinarily the most taciturn of men, but once he had the boat positioned to his liking, some sixty or seventy yards offshore [16],

---

1. **Crowd** [krad] **:** *foule* ; **to crowd :** *s'entasser, s'accumuler.*
2. **Verge** [vəːdz] **:** *bord* (par ex. d'un précipice).
3. **Shade :** 1) *ombre* ; 2) *nuance.*
4. **Schoolbus yellow :** aux USA, les autobus transportant des écoliers sont jaunes.
5. **To swirl,** ou **to whirl :** *tourbillonner.*
6. **Sneakers :** (US) *chaussures de gymnastique.*
7. **Canvas :** *toile.*
8. **To linger** ['lıngə] **:** *s'attarder.*

Les feuilles des arbres qui s'amoncelaient jusqu'au bord du lac revêtaient toutes les couleurs pimpantes de l'automne, depuis le rouge sang jusqu'au jaune boîte aux lettres. Ils parlaient dans le vent. Des feuilles tourbillonnaient autour des baskets de Petey, qui regardait craintivement son père. L'odeur du vent laissait présager l'approche de novembre, avant-coureur de l'hiver.

La clef tourna dans le cadenas et Hal poussa les battants de la porte. Il se souvenait de tout ; sans même regarder, il renversa du pied la bille de bois qui maintenait la porte ouverte. Le bâtiment fleurait l'été : il y régnait encore une odeur de bâche et de bois luisant et une chaleur tenace.

La barque de l'oncle Will était toujours là, avec les avirons soigneusement rangés à bord, comme si, pas plus tard que la veille, celui-ci s'était embarqué avec son attirail de pêche et deux packs de bière. Il avait souvent emmené Bill et Hal à la pêche, mais toujours séparément. Il prétendait que le canot était trop petit pour trois. La peinture rouge, que l'oncle Will entretenait chaque printemps, était toute ternie et écaillée ; les araignées avaient tissé de la soie à l'avant du bateau.

Hal s'empara de la barque, qu'il tira sur la rampe jusqu'à la petite plage de galets. Les parties de pêche figuraient parmi les plus grands moments de bonheur de son enfance chez oncle Will et tante Ida. Il avait l'impression que Bill partageait cet avis. D'ordinaire, oncle Will était le plus taciturne des hommes mais, sitôt qu'il avait installé sa barque dans la position souhaitée à vingt ou trente mètres du rivage,

---

9. **To row** [ro] : *ramer.*
10. **Black Label** : litt. *étiquette noire.* Ici marque de bière US.
11. **To trim** : *arranger, rendre plus net.*
12. **To touch up** : *retoucher.*
13. **To fade** : *se ternir, s'estomper.*
14. **To spin, spun, spun** : *tisser.*
15. **Bow** [bəʊ] : *l'avant d'un bateau, la proue.* ⚠ **To bow** [baʊ] : *s'incliner, faire une révérence.* ⚠ **bow** [bəʊ] : *archet.*
16. **Offshore** : *au large.* **Shore** : *la rive.*

lines set and bobbers floating on the water, he would crack[1] a beer for himself and one for Hal (who rarely drank more than half of the one can Uncle Will would allow, always with the ritual admonition from Uncle Will that Aunt Ida must never be told because "she'd shoot me for a stranger[2] if she knew I was givin you boys beer, don't you know"), and wax[3] expansive. He would tell stories, answer questions, rebait[4] Hal's hook when it needed rebaiting; and the boat would drift[5] where the wind and the mild current wanted it to be.

"How come[6] you never go right out to the middle, Uncle Will?" Hal had asked once.

"Look overside there," Uncle Will had answered.

Hal did. He saw the blue water and his fish line going down into black.

"You're looking into the deepest part of Crystal Lake," Uncle Will said, crunching[7] his empty beer can[8] in one hand and selecting a fresh one with the other. "A hundred feet if she's an inch. Amos Culligan's old Studebaker[9] is down there somewhere. Damn fool took it out on the lake one early December, before the ice was made, Lucky to get out of it alive, he was. They'll never get that Stud[10] out, nor see it until Judgment Trump blows[11]. Lake's one deep sonofawhore[12] right here, it is. Big ones are right here, Hal. No need to go out no further[13]. Let's see how your worm looks. Reel[14] that sonofawhore right in."

---

1. **To crack a bottle :** fam. US, *déboucher une bouteille.*
2. **She'd shoot me for a stranger :** litt. *elle me tirerait dessus comme si j'étais un inconnu.*
3. **To wax :** *se dilater.* **Wax** (n.) : *la cire.*
4. **Bait :** *appâter.*
5. **To drift :** *dériver.*
6. **How come :** expr. fam. très courante aux USA = *comment se fait-il ?*
7. **To crunch :** évoque l'idée de froissement, de crissement.
8. *Boîte de conserve :* (GB) **tin** (qui signifie litt., *le fer-blanc*) ; (US) **can.**

sitôt qu'il avait mis ses lignes à l'eau et que les bouchons flottaient, il ouvrait deux bières, une pour lui et une pour Hal (qui buvait rarement plus de la moitié de la canette autorisée par oncle Will, car celui-ci lui faisait chaque fois jurer de ne pas le dire à tante Ida, parce que « vous savez, les enfants, elle me tirerait comme un lapin si elle savait que je vous donne de la bière »), et alors rien ne l'arrêtait plus. Il racontait des histoires, répondait aux questions, réappâtait l'hameçon de Hal quand c'était nécessaire : et la barque dérivait doucement au gré du vent et du courant.

— Pourquoi ne vas-tu jamais au milieu du lac, oncle Will ? lui avait un jour demandé Hal.

— Regarde par-dessus bord, avait répondu oncle Will.

Hal obéit. Il vit de l'eau bleue et sa ligne qui s'enfonçait dans du noir.

— C'est la partie la plus profonde de Crystal Lake, dit oncle Will en écrasant d'une main sa boîte de bière vide, et en en prenant une nouvelle de l'autre. Je veux être pendu si y a pas trente mètres de fond. C'est à cet endroit que s'trouve la vieille Studebaker d'Amos Culligan. Un jour, cet imbécile l'a amenée ici au début du mois de décembre, avant que le lac ne soit pris par les glaces. Il a eu bin de la chance de s'en tirer vivant. On ne sortira jamais c'te bagnole de là, et on ne la verra plus avant le Jugement Dernier. Le lac est foutrement profond ici. C'est par ici qu'on trouve les gros, Hal. Inutile d'aller plus loin. Fais voir comment se comporte ton asticot. Remonte-moi c'te putain de moulinet.

---

9. **Studebaker** : marque de voitures US.
10. **Stud** : diminutif de **Studebaker.**
11. **Judgment Trump blows** : *la Trompette du Jugement (Dernier) sonne (souffle).*
12. **Sonofawhore = son of a whore** [ɔ:] : *fils de pute.*
13. **Further** : comparatif de **far.**
14. **To reel** : 1) *dévider* ou *bobiner, enrouler* ; 2) *tournoyer* ; 3) *chanceler* (comme un homme ivre). Ici, idée de remonter un poisson avec un moulinet.

Hal did, and while Uncle Will put a fresh crawler [1] from the old Crisco tin that served as his bait box on his hook, he stared into the water, fascinated, trying to see Amos Culligan's old Studebaker, all rust and waterweed [2] drifting out of the open driver's side window through which Amos had escaped at the absolute last moment, waterweed festooning the steering [3] wheel like a rotting necklace, waterweed dangling [4] from the rearview [5] mirror and drifting back and forth in the currents like some strange rosary. But he could see only blue shading to black [6], and there was the shape of Uncle Will's night crawler, the hook hidden inside its knots [7], hung up there in the middle of things, its own sunshafted [8] version of reality. Hal had a brief, dizzying [9] vision of being suspended over a mighty [10] gulf, and he had closed his eyes for a moment until the vertigo [11] passed. That day, he seemed to recollect [12], he had drunk his entire can of beer.

... the deepest part of Crystal Lake... a hundred feet if she's an inch.

He paused a moment, panting, and looked up at Petey, still watching anxiously. "You want some help, Daddy?"

"In a minute."

He had his breath again, and now he pulled [13] the rowboat across the narrow strip of sand to the water, leaving a groove [14]. The paint had peeled, but the boat had been kept under cover and it looked sound [15].

---

1. **To crawl :** *ramper*. **Crawler** (fam.) **:** litt. *rampant* ; ici synonyme de **worm** (*ver, asticot*, qui peut également se dire **maggot**).
2. **Weed :** *herbe sauvage, mauvaise herbe, herbe aquatique, algue.*
3. **To steer** [stɪə] **:** *gouverner* (un bateau), *diriger* (une voiture, un véhicule).
4. **To dangle :** *pendre, pendouiller.*
5. **Rear** [rɪə].
6. **Shading to black.** Cf. note 3, p. 96. Litt. *prenant une nuance noire, se noircissant.*

Hal obéit. Oncle Will extirpa un ver de la vieille boîte de conserve où il mettait ses appâts et le fixa sur l'hameçon de l'enfant. Pendant ce temps, Hal, tout médusé, scruta l'eau, en cherchant à apercevoir la vieille Studebaker rouillée d'Amos Culligan, et les herbes aquatiques qui s'échappaient de la fenêtre du conducteur qu'Amos Culligan avait ouverte pour se sauver in extremis, les guirlandes d'algues enroulées autour du volant comme un collier en voie de putréfaction, les herbes accrochés au rétroviseur et oscillant dans les courants comme un chapelet insolite. Mais il ne vit que du bleu virant au noir, et la forme de l'appât de nuit de l'oncle Will avec l'hameçon dissimulé dans ses méandres, qui, suspendu au milieu des éléments et éclairé par les rayons du soleil, constituait sa propre vision de la réalité. Hal eut un court instant de vertige, comme s'il avait surplombé un énorme gouffre ; il ferma les yeux pour laisser passer cet étourdissement. Il lui semblait que, ce jour-là, il avait dû boire toute sa canette de bière.

... la partie la plus profonde de Crystal Lake... Je veux être pendu si ça ne fait pas trente mètres.

Hors d'haleine, Hal fit une pause ; Petey le regardait toujours craintivement.

— Tu as besoin d'aide, papa ?

— Dans une minute.

Il avait repris son souffle et, maintenant, il tirait la barque en direction de l'eau, en laissant une trace sur l'étroite bande de sable. Malgré sa peinture pelée, la barque paraissait en bon état, car on avait pris soin de la bâcher.

---

7. **Knot :** *nœud.*
8. **Shaft :** 1) *hampe* ; 2) *flèche, trait* ; 3) *rayon* (de lumière).
9. **Dizzy** ['dɪzɪ] **:** *étourdi, qui a le vertige.*
10. **Mighty :** litt. *puissant.*
11. **Vertigo** [və'tɪgou].
12. **To recollect** ['rekəlekt] **:** *se souvenir.*
13. **Pull** [pul].
14. **Groove :** *rainure.*
15. **Sound** [saund] (adj.) **:** *sain.*

When he and Uncle Will went out, Uncle Will would pull the boat down the ramp, and when the bow was afloat [1], he would clamber [2] in, grab an oar to push with and say: "Push me off, Hal... this is where you earn your truss [3]!"

"Hand that bag in, Petey, and then give me a push," he said. And, smiling a little, he added: "This is where you earn your truss."

Petey didn't smile back. "Am I coming, Daddy?"

"Not this time. Another time I'll take you out fishing, but... not this time."

Petey hesitated. The wind tumbled his brown hair and a few yellow leaves, crisp [4] and dry, wheeled [5] past his shoulders and landed at the edge of the water, bobbing like boats themselves.

"You should have stuffed [6] 'em," he said, low.

"What?" But he thought he understood what Petey had meant.

"Put cotton over the cymbals. Taped [7] it on. So it couldn't... make that noise."

Hal suddenly remembered Daisy coming toward him – not walking but lurching [8] – and how, quite suddenly, blood had burst from both of Daisy's eyes in a flood [9] that soaked her ruff and pattered [10] down on the floor of the barn, how she had collapsed [11] on her forepaws... and on the still, rainy spring air of that day he had heard the sound, not muffled [12] but curiously clear, coming from the attic of the house fifty feet away: *Jang-jang-jang-jang!*

---

1. **Afloat :** *à flot.* Cf. **afar :** *au loin* ; **afoot :** *debout* ; **agape :** *bouche bée* ; **ahead :** *en avant* ; **ajar :** *entrouvert* ; **alight :** *allumé* ; **alike :** *semblable* ; **amazed :** *étonné* (litt. *placé dans un labyrinthe,* **maze :** *labyrinthe*), etc.
2. **To climb** [klaɪm] **:** *grimper* ; **to clamber :** même sens mais avec une idée de difficulté (en s'aidant de ses mains).
3. **Truss,** pour **trust.** Litt. *voilà où* (le moment de) *gagner la confiance.*
4. **Crisp :** *croustillant, desséché.*

Quand il sortait avec l'oncle Will, celui-ci tirait la barque sur la rampe et, une fois l'avant à flot, il grimpait dedans et empoignait un aviron pour pousser dessus en disant : « Pousse-moi, Hal... c'est le moment de montrer que tu es un homme. »

— Mets ce sac à bord, Petey, et pousse-moi, dit Hal. (Puis il ajouta avec un petit sourire :) C'est le moment de montrer que tu es un homme.

Petey ne souriait pas.

— Tu m'emmènes, papa ?

— Pas cette fois-ci. Nous irons à la pêche un autre jour... mais pas cette fois-ci.

Petey hésita. Un coup de vent secoua sa tignasse et des feuilles mortes, toutes jaunes et desséchées, tournoyèrent au-dessus de son épaule pour aller se poser près du rivage où elles flottèrent comme des petits bateaux.

— Tu aurais dû les envelopper, dit-il à voix basse.

— Quoi ? Mais Hal pensait avoir compris.

— Scotcher du coton sur les cymbales. Pour qu'elles... ne fassent pas de bruit.

Hal se souvint du jour où Daisy était venue vers lui : elle ne marchait pas, elle titubait ; le sang avait jailli des deux yeux de la chienne, imbibé son pelage et dégouliné sur le sol de la grange ; puis elle s'était effondrée sur ses pattes antérieures... ; il tombait une pluie printanière, et dans l'air immobile il avait entendu le bruit non pas étouffé, mais étonnamment clair, qui provenait du grenier de la maison à vingt mètres de là... *Ding, ding, ding, ding !*

---

5. **Wheel :** la *roue.* **To wheel :** *tournoyer.*
6. **To stuff :** *remplir, rembourrer, farcir.*
7. **Tape :** voir note 12, p. 95.
8. **To lurch** [lʌtʃ] **:** *faire une embardée ; marcher en titubant.*
9. **Flood** [flʌd].
10. **To patter :** *tomber goutte à goutte, dégouliner.*
11. **Collapse** [k'ləeps].
12. **Muffled sound :** *bruit étouffé.*

He had begun to scream hysterically, dropping the armload of wood he had been getting for the fire. He ran for the kitchen to get Uncle Will, who was eating scrambled eggs [1] and toast, his suspenders [2] not even up over his shoulders yet.

She was an old dog, Hal, Uncle Will had said, his face haggard [3] and unhappy – he looked old himself. *She was twelve, and that's old for a dog. You mustn't take on [4] now – old Daisy wouldn't like that.*

Old, the vet [5] had echoed [6], but he had looked troubled all the same [7], because dogs don't die of explosive brain hemorrhages, even at twelve ("Like as [8] if someone had stuck a firecracker in her head," Hal overheard the vet saying to Uncle Will as Uncle Will dug [9] a hole in back of the barn not far from the place where he had buried [10] Daisy's mother in 1950; "I never seen [11] the beat of it, Will").

And later, terrified almost out of his mind but unable to help himself, Hal had crept up to the attic.

Hello, Hal, how you doing? The monkey grinned from its shadowy corner. Its cymbals were poised, a foot or so apart. The sofa [12] cushion [13] Hal had stood on end between them was now all the way across the attic. Something – some force – had thrown it hard enough to split [14] its cover, and stuffing [15] foamed [16] out of it. *Don't worry about Daisy,* the monkey whispered inside his head, its glassy hazel eyes fixed on Hal Shelburn's wide blue ones.

---

1. **Scrambled eggs :** Cf. note 8, p. 95.
2. **Suspender** [səs'pendə].
3. **Haggard** ['hægəd] **:** *hâve, décharné, abattu.*
4. **You mustn't take on :** fam. *te laisser abattre, prendre cela trop à cœur.*
5. **Vet :** dim. de **veterinary** ['vetə,rınə,ri].
6. **Echo** ['ekəʊ].
7. **All the same :** *quand même.*
8. **Like as :** angl. non standard pour **as if**.

Il avait poussé des cris hystériques et lâché la brassée de bois qu'il était venu chercher pour faire du feu. Il s'était précipité dans la cuisine pour prévenir oncle Will ; celui-ci était en train de manger des œufs brouillés avec des toasts, et il n'avait pas encore passé ses bretelles sur ses épaules.

C'était une vieille chienne, avait dit oncle Will, le visage triste et décomposé : il avait l'air vieux, lui aussi. *Elle avait douze ans : c'est vieux pour un chien. Il ne faut pas que cela te rende malheureux : la vieille Daisy n'aimerait pas cela.*

La vieillesse, avait confirmé le vétérinaire, intrigué malgré tout parce que les chiens ne meurent pas brutalement d'hémorragies cérébrales, même à douze ans (« comme si on avait fait exploser un pétard dans sa tête », l'avait entendu dire Hal à oncle Will pendant que celui-ci creusait un trou derrière la grange, non loin du lieu où il avait enterré la mère de Daisy en 1950 ; « je n'ai jamais vu ça, Will »).

Plus tard, fou de terreur, il n'avait pu s'empêcher de monter dans le grenier.

Salut, Hal, comment va ? Dans son coin ténébreux le singe souriait en tenant ses cymbales écartées à environ dix centimètres l'une de l'autre. Le coussin du canapé que Hal avait placé entre celles-ci se trouvait maintenant de l'autre côté du grenier. Une force inconnue l'avait projeté suffisamment fort pour éventrer la housse, et la bourre se répandait comme de l'écume. *Ne t'en fais pas pour Daisy*, avait murmuré le singe dans la tête de Hal en fixant les grands yeux bleus de l'enfant de ses yeux vitreux couleur noisette.

---

9. **To dig, dug, dug :** *creuser.*
10. **Buried** ['bɪrɪd].
11. **I never seen :** fam. pour **I've never seen**.
12. **Sofa** ['səʊfə] **:** *divan, canapé.*
13. **Cushion** ['kʊʃn].
14. **To split, split, split :** *fendre.*
15. **Stuffing :** Cf. note 6, p. 103.
16. **Foam** [fəʊm] **:** *écume.*

Don't worry about Daisy, she was old, Hal, even the vet said so, and by the way, did you see the blood coming out of her eyes, Hal? Wind me up, Hal. Wind me up, let's play, and who's dead, Hal? Is it you?

And when he came back to himself he had been crawling toward the monkey as if hypnotized [1]. One hand had been outstretched [2] to grasp the key. He scrambled [3] backward then, and almost fell down the attic stairs in his haste [4] – probably would have if the stairwell [5] had not been so narrow. A little whining [6] noise had been coming from his throat.

Now he sat in the boat, looking at Petey. "Muffling [7] the cymbals doesn't work [8]," he said. "I tried it once."

Petey cast a nervous glance [9] at the flight bag. "What happened, Daddy?"

"Nothing I want to talk about now," Hal said, "and nothing you want to hear about. Come on and give me a push."

Petey bent [10] to it, and the stern [11] of the boat grated [12] along the sand. Hal dug in with an oar, and suddenly that feeling of being tied [13] to the earth was gone and the boat was moving lightly, its own thing again after years in the dark boathouse, rocking on the light waves. Hal unshipped [14] the other oar and clicked the oarlocks [15] shut.

"Be careful, Daddy," Petey said.

"This won't take long," Hal promised, but he looked at the flight bag and wondered.

He began to row, bending to the work. The old, familiar ache in the small of his back [16] and between his shoulder blades [17] began.

---

1. **Hypnotized** ['hɪpnotɑːɪzd].
2. **Outstretched** ['aʊtstreʃt] ; **to stretch** : *étendre, allonger* ; cf. **stretcher** : *brancard.*
3. **To scramble** : m. à m. *se déplacer à quatre pattes, jouer des pieds et des mains*. Cf. n. 8, p. 95.
4. **Haste** [heɪst].
5. **Stairwell** : *cage d'escalier*. **A well** : *un puits.*
6. **To whine** : *geindre*. **To moan** : *gémir*. **To complain** : *se plaindre*. **Plaintive** : *plaintif.*
7. **To muffle** : *assourdir, voiler ; étouffer ; envelopper.*
8. **To work** : ici *marcher, fonctionner* ; **it doesn't work** : *ça ne marche pas.*

Ne t'en fais pas pour Daisy, Hal, elle était vieille : le vétérinaire l'a dit lui-même ; au fait, tu as vu le sang lui couler par les yeux, Hal ? Remonte-moi ; jouons. Qui est mort, Hal ? C'est toi ?

Comme hypnotisé, il rampa vers le singe. Quand il reprit ses esprits, il tendait la main pour saisir la clef. Il battit en retraite ; dans sa hâte, seule l'étroitesse de la cage d'escalier l'empêcha de dégringoler jusqu'en bas. Il laissa échapper un petit gémissement.

Assis dans la barque, il regardait Petey.

— Ça ne sert à rien d'envelopper les cymbales. J'ai déjà essayé.

Petey jeta un coup d'œil inquiet sur le sac de voyage.

— Que s'est-il passé, papa ?

— Je ne veux pas en parler maintenant, dit Hal. Ça n'a pas d'intérêt. Allez, pousse-moi.

Petey s'arc-bouta sur l'arrière de la barque qui glissa en raclant le sable. Hal poussait sur une rame, et soudain il se sentit détaché de terre : la barque était à flot ; au bout de tant d'années dans le sombre hangar, elle était redevenue elle-même et se balançait sur les vagues. Hal sortit le second aviron et verrouilla les dames de nage.

— Fais attention, papa, dit Petey.

— Je n'en ai pas pour longtemps, promit Hal ; mais en regardant le sac, il se posait des questions.

Il se courba pour ramer et sentit renaître une vieille douleur familière dans ses reins et entre ses omoplates.

---

9. **To cast a glance** : *jeter un coup d'œil.*
10. **To bend, bent, bent.**
11. **Stern** [stə:n] : *arrière d'un bateau, poupe.*
12. **To grate** : *grincer.*
13. **To tie** : *attacher* ; **tie** : n., *lien* (Cf. **link**).
14. **To unship** : *enlever, démonter.*
15. **Oarlock** = **rowlock** : *porte-rames, volets ; dames de nage.*
16. **Small of the back**, ou **loins** : *reins.*
17. **Blade** : *lame.* **Shoulder blade** : *omoplate.*

The shore receded [1]. Petey was magically eight again, six, a four-year-old standing at the edge of the water. He shaded his eyes with one infant [2] hand.

Hal glanced casually [3] at the shore but would not allow himself to actually study it. It had been nearly fifteen years, and if he studied the shoreline [4] carefully, he would see the changes rather than the similarities and become lost. The sun beat on his neck, and he began to sweat. He looked at the flight bag, and for a moment he lost the bend-and-pull rhythm. The flight bag seemed... seemed to be bulging. He began to row faster.

The wind gusted [5], drying the sweat and cooling his skin. The boat rose and the bow [6] slapped [7] water to either side when it came down. Hadn't the wind freshened [8], just in the last minute or so? And was Petey calling something? Yes. Hal couldn't make out [9] what it was over the wind. It didn't matter. Getting rid of the monkey for another twenty years – or maybe

(please God forever)

forever – that was what mattered.

The boat reared and came down. He glanced left and saw baby whitecaps [10]. He looked shoreward [11] again and saw Hunter's Point and a collapsed [12] wreck [13] that must have been the Burdons' boathouse when he and Bill were kids. Almost there, then. Almost over the spot where Amos Culligan's famous Studebaker had plunged through the ice one long-ago December. Almost over the deepest part of the lake.

---

1. **To recede** [rɪ'siːd], *reculer.*
2. ⚠ **Infant :** *nouveau-né.*
3. **Casual :** *informel, distrait.*
4. **Shoreline = shore :** *rive, berge.*
5. **Gust :** *coup de vent, rafale* (**of wind :** *de vent*), *grain, bourrasque.*
6. **Bow** [baʊ] **:** *proue, avant* ; **port bow :** *bâbord.*
7. **To slap :** *giffler.*

Le rivage s'éloigna. Comme par magie, Petey, debout au bord de l'eau, n'avait plus que huit ans, six ans, quatre ans. Il avait mis sa main de bébé en visière au-dessus de ses yeux.

Hal jeta un coup d'œil distrait sur la berge en se gardant de chercher des repères. Au bout de près de quinze ans, il aurait surtout remarqué les changements, ce qui l'aurait désorienté. Le soleil tapait sur son cou et il commençait à transpirer. Il regarda le sac ; pendant quelques instants, il rama de manière anarchique. Le sac semblait... semblait gonfler. Il accéléra.

Des bourrasques lui asséchèrent la peau en la rafraîchissant. La barque se dressait et quand l'avant retombait, des éclaboussures jaillissaient de chaque bord. Le vent n'avait-il pas brusquement fraîchi ? Et Petey ne criait-il pas quelque chose ? Si. Le vent étouffait ses paroles. Aucune importance. Il allait se débarrasser du singe pour vingt ans... ou peut-être

(Dieu fasse que ce soit pour toujours)

pour toujours... et c'était l'essentiel.

La barque se cabrait et retombait. A bâbord, de petits moutons se formaient. A terre, sur le cap du Chasseur, il aperçut une cahute en ruine qui avait dû être le hangar à bateaux des Burdon du temps de leur enfance. Il était donc presque arrivé. Il se trouvait presque au-dessus du lieu où la fameuse Studebaker d'Amos Culligan s'était jadis engouffrée sous la glace un jour de décembre. Presque au-dessus de la partie la plus profonde du lac.

---

8. **The wind freshens :** *fraîchit, souffle plus fort.*
9. **To make out :** *distinguer.*
10. **Cap :** *casquette.* **Whitecap :** litt. *chapeau blanc.*
11. Le suffixe **ward** indique la direction. Cf. **homeward journey :** *le voyage de retour.*
12. **Collapse** [kə'læps].
13. **Wreck :** *épave.* **A shipwreck :** *un naufrage.*

Petey was screaming something; screaming and pointing. Hal still couldn't hear. The rowboat rocked and rolled [1], flatting off clouds of thin spray to either side of its peeling bow [2]. A tiny rainbow [3] glowed in one, was pulled apart. Sunlight and shadow raced across the lake in shutters [4] and the waves were not mild now; the whitecaps had grown up. His sweat had dried to gooseflesh [5], and spray had soaked the back of his jacket. He rowed grimly [6], eyes alternating between the shoreline and the flight bag. The boat rose again, this time so high that for a moment the left oar pawed [7] at air instead of water.

Petey was pointing at the sky, his scream now only a faint, bright runner of sound.

Hal looked over his shoulder.

The lake was a frenzy [8] of waves. It had gone a deadly dark shade of blue sewn with white seams [9]. A shadow raced across the water toward the boat and something in its shape was familiar, so terribly familiar, that Hal looked up and then the scream was there, struggling [10] in his tight throat.

The sun was behind the cloud, turning it into a hunched [11] working shape with two gold-edged crescents held apart. Two holes were torn [12] in one end of the cloud, and sunshine poured [13] through in two shafts.

As the cloud crossed over the boat, the monkey's cymbals, barely muffled by the flight bag, began to beat. *Jang-jang-jang-jang, it's you, Hal, it's finally you, you're over the deepest part of the lake now and it's your turn, your turn, your turn –*

---

1. **Rocked and rolled :** nouveau doublon onomatopéique.
2. Litt. *aplatissant des nuages de fine écume de chaque côté de sa proue pelée.*
3. **Rainbow** ['reinbəʊ].
4. **Shutter :** *volet, persienne.*
5. **Goose** [gu:s] **:** *oie* ; **gooseflesh :** *chair de poule.*
6. **Grim :** 1) *lugubre* ; 2) *avec une force désespérée.*
7. **Paw :** *patte* (partie antérieure ; ≠ **leg :** *patte* tout entière) ; **to paw at the air :** *battre dans le vide.*

Petey criait ; il criait en montrant quelque chose du doigt. Hal n'entendait toujours pas. La barque était ballottée en tous sens, auréolée à l'avant d'une fine nuée d'embruns où de minuscules arcs-en-ciel apparaissaient pour éclater un instant plus tard. Ombres et lumières balayaient le lac, comme filtrées par des persiennes ; les vagues s'étaient creusées ; les moutons avaient pris de l'ampleur. Hal ne transpirait plus : il avait la chair de poule, et le dos de sa veste s'imbibait d'embruns. Il ramait avec acharnement, en regardant alternativement le rivage et le sac. La barque se souleva de nouveau, si haut cette fois que l'aviron de bâbord battit l'air au lieu de l'eau.

Petey montrait le ciel du doigt ; son cri ardent se perdait en un vague murmure.

Hal regarda derrière lui.

Des vagues secouaient frénétiquement le lac sombre et lugubre, balafré de coutures blanches. L'ombre qui balayait la surface de l'eau en direction du bateau avait une forme familière, une forme si familière qu'en levant les yeux Hal sentit sa gorge se serrer et qu'il eut du mal à retenir un cri.

Dans son sillage, le soleil donnait à ce nuage la forme d'une créature accroupie brandissant deux croissants ourlés d'or au bord desquels des rayons de lumière s'engouffraient par deux déchirures.

Lorsque le nuage passa au-dessus de la barque, les cymbales du singe se mirent en branle, à peine assourdies par le sac. *Ding, ding, ding, ding, c'est toi Hal ; enfin toi ; tu surplombes la partie la plus profonde du lac, et c'est ton tour, ton tour, ton tour.*

---

8. **Frenzy** : *frénésie* ; **frantic** : *frénétique.*
9. **It had... seams** : litt. *Il avait pris une teinte bleu sombre et lugubre cousue de coutures blanches.*
10. **To struggle** : *lutter, se débattre.*
11. **A hunchback** : *un bossu.*
12. **To tear** [teə], **tore, torn** : *déchirer.*
13. **To pour** : *se déverser.* **It is pouring** : *il pleut à verse.*

All the necessary shoreline elements had clicked[1] into their places. The rotting bones[2] of Amos Culligan's Studebaker lay somewhere below, this was where the big ones were, this was the place.

Hal shipped[3] the oars to the locks in one quick jerk[4], leaned forward, unmindful[5] of the wildly rocking boat, and snatched the flight bag. The cymbals made their wild, pagan[6] music; the bag's sides bellowed[7] as if with tenebrous respiration.

"Right here, you sonofawhore[8]!" Hal screamed. *"RIGHT HERE!"*

He threw the bag over the side.

It sank[9] fast. For a moment he could see it going down, sides moving, and for that endless moment *he could still hear the cymbals beating*. And for a moment the black waters seemed to clear and he could see down into that terrible gulf of waters to where the big ones lay; there was Amos Culligan's Studebaker, and Hal's mother was behind its slimy[10] wheel[11], a grinning skeleton[12] with a lake bass staring coldly from one fleshless eye socket[13]. Uncle Will and Aunt Ida lolled[14] beside her, and Aunt Ida's gray hair trailed[15] upward as the bag fell, turning over and over, a few silver bubbles trailing up: *jang-jang-jang-jang...*

Hal slammed the oars back into the water, scraping[16] blood from his knuckles *(and ah God the back of Amos Culligan's Studebaker had been full of dead children! Charlie Silverman... Johnny McCabe...)*, and began to bring the boat about[17].

---

1. **To click** : donne ici l'idée d'un déclic soudain.
2. **Rotting bones** : m. à m. *les os pourrissant.*
3. **To ship** : *embarquer.*
4. **Jerk** : *secousse.*
5. **To mind** : *faire attention, se soucier.* **Mindful** : *attentif* ≠ **mindless** (ou, plus rarement, **unmindful**) : *insouciant, inattentif.*
6. **Pagan** ['peɪgən] : *païen.*
7. **Bellows** : *un soufflet.*
8. **Sonofawhore** : cf. n. 12, p. 99.

Tous les repères de la berge s'étaient soudain remis en place. Le squelette en putréfaction de la Studebaker d'Amos Culligan gisait quelque part au fond, là où se trouvaient les gros poissons : c'était bien là.

Hal remonta les avirons d'un coup sec, se pencha en avant, sans se soucier de la folle agitation du bateau, et s'empara du sac. Les cymbales déchaînées émettaient leur musique sacrilège, les flancs du sac s'enflaient sous l'effet d'une respiration ténébreuse.

— *C'est ici, fils de pute*, cria Hal. *ICI MÊME*.

Il jeta le sac par-dessus bord.

Celui-ci coula à pic. Hal le vit s'enfoncer, les flancs agités, et durant quelques instants interminables, il continua à entendre les coups de cymbales. Pendant quelques secondes, les eaux noires semblèrent s'éclaircir, et il distingua le fond de ce terrible gouffre où se trouvaient les gros poissons ; il y avait la Studebaker d'Amos Cullingan, et derrière le volant gluant se tenait sa mère, squelette grimaçant avec une perche qui braquait un froid regard à travers une de ses orbites décharnées. Oncle Will et tante Ida se prélassaient à ses côtés, et les cheveux gris de tante Ida ondulaient entre deux eaux, tandis que le sac coulait en virevoltant dans une colonne de bulles argentées : *ding, ding, ding, ding*...

Hal plongea brutalement les avirons dans l'eau, en s'écorchant les phalanges (*mon Dieu ! des enfants morts jonchaient le siège arrière de la Studebaker ! Charlie Silverman... Johnny McCabe*...) ; il amorça un demi-tour.

---

9. **To sink, sank, sunk.**
10. **Slime :** *la vase* ; **slimy :** *visqueux.*
11. **Wheel**, pour **steering wheel :** *volant.*
12. **Skeleton** ['skelɜtɜn].
13. **Socket :** 1) *socquette* ; 2) *orbite, douille de lampe*, etc.
14. **To loll** [lol] **:** *être allongé* ou *dans une position nonchalante.*
15. **To trail :** *traîner* ; **a trail :** *une piste* ; **a trailer :** *une remorque.*
16. **To scrape :** *gratter, nettoyer en grattant.* Cf. **to scrape carrots**.
17. **To bring about :** *retourner, faire faire demi-tour.*

There was a dry pistol-shot crack between his feet, and suddenly clear water was welling up [1] between two boards. The boat was old; the wood had shrunk [2] a bit, no doubt; it was just a small leak [3]. But it hadn't been there when he rowed out. He would have sworn to it [4].

The shore and lake changed places in his view. Petey was at his back now. Overhead [5], that awful simian cloud was breaking up. Hal began to row. Twenty seconds was enough to convince him he was rowing for his life. He was only a so-so [6] swimmer, and even a great [7] one would have been put to the test [8] in this suddenly angry water.

Two more boards suddenly shrank apart with that pistol-shot sound. More water poured into the boat, dousing [9] his shoes. There were tiny metallic [10] snapping sounds that he realized were nails breaking. One of the oarlocks snapped and flew off into the water – would the swivel [11] itself go next?

The wind now came from his back, as if trying [12] to slow him down or even drive him into the middle of the lake. He was terrified, but he felt a crazy kind of exhilaration [13] through the terror. The monkey was gone for good this time. He knew it somehow. Whatever [14] happened to him, the monkey would not be back to draw a shadow over Dennis's life or Petey's. The monkey was gone, perhaps resting on the roof or the hood [15] of Amos Culligan's Studebaker at the bottom of Crystal Lake. Gone for good.

---

1. **To well up :** *jaillir* (comme un geyser).
2. **To shrink, shrank, shrunk :** *rétrécir.*
3. **Leak :** *fuite.*
4. m. à m. : *Il l'aurait juré.*
5. **Overhead :** m. à m. *au-dessus, en haut, en l'air.*
6. **So-so :** *couci-couça.*
7. **Great** [greɪt].
8. **Test :** *épreuve.*

A ses pieds il y eut comme un coup de feu, et de l'eau claire s'insinua entre deux planches. C'était un vieux bateau ; sans doute le bois s'était-il un peu rétracté ; ce n'était qu'une fuite bénigne. Mais il avait la certitude qu'elle n'était pas là à l'aller.

L'emplacement respectif du lac et de la berge s'intervertirent. Petey se trouvait derrière lui. Dans le ciel, l'horrible nuage simiesque s'entrouvrait. Hal se mit à ramer. Il ne lui fallut pas plus de vingt secondes pour comprendre le danger de mort qui le menaçait. Il ne nageait pas très bien, et même un excellent nageur aurait eu du mal à affronter ces flots soudain déchaînés.

Brusquement, deux autres planches s'entrouvrirent avec le même claquement. L'eau s'engouffra dans la barque, et ses souliers étaient trempés. Il y avait des petits bruits métalliques : il comprit que c'étaient des clous qui sautaient. L'un des tolets se cassa et tomba à l'eau : le tourillon allait-il subir le même sort ?

Le vent soufflait dans son dos comme pour le ralentir ou même le pousser au milieu du lac. Il était terrifié, mais une jubilation insensée se mêlait à sa panique. Cette fois, le singe avait disparu pour de bon. Il en avait la conviction. Quoi qu'il lui arrive, le singe ne viendrait plus jeter une ombre sur la vie de Dennis et de Petey. Le singe avait disparu ; peut-être reposait-il sur le capot de la Studebaker d'Amos Culligan au fond de Crystal Lake. Disparu à jamais.

---

9. **To douse :** *doucher, mouiller.*
10. **Metallic** [mɜ'tætɪk].
11. **Swivel :** *pivot, rotule ; tourillon* ; **to swivel :** *pivoter, tourner.*
12. **As if** + part. présent : *comme pour.*
13. **Exhilarating :** *vivifiant.* Cf. **bracing atmosphere :** *une atmosphère requinquante, tonique.*
14. **Whatever** [wɔt'evə].
15. **Hood :** 1) *capuchon* ; 2) (US) *capot,* (GB) *bonnet.*

He rowed, bending forward and rocking back. That cracking, crimping [1] sound came again, and now the rusty Crisco can that had been lying in the bow of the boat was floating in three inches of water. Spray blew in Hal's face. There was a louder snapping sound, and the bow seat [2] fell in two pieces and floated next to [3] the bait box. A board tore off the left side of the boat, and then another, this one at the waterline [4], tore off at the right. Hal rowed. Breath rasped [5] in his mouth, hot and dry, and then his throat swelled [6] with the coppery [7] taste of exhaustion [8]. His sweaty hair flew.

Now a crack zipped [9] directly up the bottom of the rowboat, zigzagged between his feet, and ran up to the bow. Water gushed in; he was in water up to his ankles, then to the swell [10] of calf [11]. He rowed, but the boat's shoreward movement was sludgy now. He didn't dare [12] look behind him to see how close he was getting.

Another board tore loose [13]. The crack running up the center of the boat grew branches, like a tree. Water flooded in.

Hal began to make the oars sprint, breathing in great failing gasps. He pulled once... twice... and on the third pull both oar swivels snapped off. He lost one oar, held on [14] to the other. He rose to his feet and began to flail [15] at the water with it. The boat rocked, almost capsized [16], and spilled [17] him back onto his seat with a thump.

Moments later more boards tore loose, the seat collapsed, and he was lying in the water which filled the bottom of the boat, astounded at its coldness.

---

1. **To crimp :** *crisser.*
2. **Bow seat :** *le siège avant.*
3. **Next to**, ou **close to**, ou **near**.
4. **Waterline :** *ligne de flottaison.*
5. **To rasp :** *racler.*
6. **To swell :** *se gonfler.*
7. **Copper :** *cuivre.*
8. **Exhaustion** [ɪgz'ɔ:stʃn].
9. **Zip :** *se fendre, s'ouvrir comme une fermeture éclair.* Cf. note 2, p. 84.
10. **Swell :** cf. note 6, ci-dessus, *galbe, enflure.*

Il ramait avec un mouvement de va-et-vient du buste. Nouveaux craquements, nouveaux crissements : la vieille boîte de conserve rouillée abandonnée au fond du bateau flottait maintenant dans dix centimètres d'eau. L'écume fouettait le visage de Hal. Quelque chose se brisa avec davantage de bruit : le siège avant se fendit en deux et flotta à côté de la boîte à appâts. A gauche de la coque, une planche se détacha brutalement, suivie d'une autre, à droite, cette fois au niveau de la ligne de flottaison. Hal ramait. Un souffle chaud et sec lui raclait la bouche ; sa gorge enfla et il ressentit le goût cuivré de l'épuisement. Ses cheveux trempés de sueur flottaient au vent.

Tout d'un coup, le fond de la barque se lézarda : une fissure s'ouvrit en zigzaguant sous ses pieds et remonta jusqu'à la proue. Des flots d'eau firent irruption ; il en eut jusqu'aux chevilles, puis jusqu'au galbe des mollets. Il ramait mais, comme freiné, le bateau peinait pour avancer. Il n'osait regarder derrière lui pour voir à quelle distance il se trouvait de la berge.

Une nouvelle planche se détacha. La fissure centrale se ramifia comme un arbre. L'eau surgit à gros bouillons.

Hal souqua plus vite en haletant. Il tira sur les avirons une fois... deux fois... et la troisième fois les tourillons sautèrent. Une rame tomba à l'eau mais il se cramponna à l'autre. Il se leva et s'en servit comme d'un fléau pour battre l'eau. Le bateau gîta et faillit chavirer : Hal retomba comme une masse sur son siège.

Presque aussitôt, de nouvelles planches se détachèrent, le siège s'effondra, et il se retrouva allongé dans le fond du bateau plein d'eau, saisi par le froid.

---

11. **Calf** [kɑ:f] **:** 1) *mollet* ; 2) *veau* (l'animal ≠ **veal**, la viande de veau).

12. **Dare** peut être ou non défectif. Logiquement, on devrait dire soit : **he durst not look**, soit **he did not dare to look**.

13. **Loose** [lu:s] **:** *lâche* ; **to tear loose :** *se détacher.* **To fail :** *échouer.* **Failing gasps :** respiration que l'on ne parvient pas à prendre.

14. **To hold on :** *s'accrocher, tenir bon.*

15. **A flail :** *un fléau* ; **to flail :** *battre le blé*, ou, au figuré, utiliser un objet pour battre l'air ou autre chose, comme avec un fléau.

16. **To capsize :** *chavirer.*

17. **To spill :** *renverser.*

He tried to get on his knees, desperately thinking: *Petey must not see this, must not see his father drown right in front of his eyes, you're going to swim, dog-paddle if you have to, but do, do something* –

There was another splintering crack – almost a crash – and he was in the water, swimming for [1] the shore as he never had swum in his life... and the shore was amazingly close. A minute later he was standing waist-deep [2] in water, not five yards from the beach.

Petey splashed [3] toward him, arms out, screaming and crying and laughing. Hal started toward him and floundered [4]. Petey, chest-deep, floundered.

They caught each other.

Hal, breathing in great winded gasps, nevertheless hoisted the boy into his arms and carried him up to the beach, where both ot them sprawled [5], panting.

"Daddy? Is it gone? That nastybad [6] monkey?"

"Yes. I think it's gone. For good this time."

"The boat fell apart [7]. It just... fell apart all around you."

Hal looked at the boards floating loose on the water forty feet out. They bore no resemblance [8] to the tight [9] hand-made rowboat he had pulled out of the boathouse.

"It's all right now," Hal said, leaning back on his elbows. He shut his eyes and let the sun warm his face.

"Did you see the cloud?" Fetey whispered.

"Yes. But I don't see it now... do you?"

They looked at the sky. There were scattered [10] white puffs here an there, but no large [11] dark cloud. It was gone, as he had said.

---

1. **To swim for :** litt. *chercher le rivage à la nage, s'efforcer de gagner la rive à la nage.*
2. **To stand ankle-deep, waist-deep, shoulder-deep in the water :** *avoir de l'eau jusqu'aux chevilles, à la taille, aux épaules.*
3. **Splash :** *éclabousser.*
4. **Flounder** ['flaʊndə].
5. **To sprawl :** *s'étaler de tout son long.*
6. **Nasty :** *méchant, mauvais.* **Nastybad :** pléonasme enfantin.
7. **To fall apart :** *s'ouvrir en deux.* **Apart** indique l'idée de sépara-

Il tenta de s'agenouiller, songeant éperdument : *il ne faut pas que Petey voie cela, qu'il voie son père se noyer sous ses yeux ; tu vas nager, barboter comme un petit chien si c'est nécessaire, mais tu vas faire quelque chose...*

Une autre partie du bateau se fendit avec fracas, et Hal se retrouva dans l'eau ; il nageait en direction du rivage comme il n'avait jamais nagé de sa vie... et le rivage était étonnamment proche. Une minute plus tard, il se trouvait à cinq mètres de la plage, avec de l'eau jusqu'à la taille.

Dans une gerbe d'éclaboussures, Petey s'élança vers lui, les bras ouverts ; il criait, il pleurait, il riait. Hal alla à sa rencontre et trébucha. Petey, qui avait de l'eau jusqu'à la poitrine, trébucha à son tour.

Ils se raccrochèrent l'un à l'autre.

Tout essoufflé, Hal hissa l'enfant dans ses bras et le porta jusqu'à la plage ; ils s'étalèrent sur les galets, hors d'haléine.

— Papa ? Il est parti ce méchant singe ?

— Oui, je le crois. Et pour de bon, cette fois-ci.

— La barque s'est fendue en deux. Elle s'est fendue en deux avec toi au milieu.

Hal regarda les planches qui flottaient sur l'eau à quinze mètres au large. Elles n'avaient plus rien à voir avec la barque soigneusement construite à la main qu'il avait sortie du hangar.

— Tout va bien, maintenant », dit-il en s'appuyant sur les coudes. Il ferma les yeux, le visage exposé au soleil.

— Tu as vu le nuage ? murmura Petey.

— Oui. Mais je ne le vois plus maintenant... et toi ?

Ils regardèrent le ciel, parsemé de petits cumulus blancs. Il avait raison : le gros nuage noir avait disparu.

---

tion. Cf. **to part from someone :** *se séparer de quelqu'un* ; **parting words :** *mots d'adieu*. **To depart :** *s'en aller*. **Partition :** *séparation*. (On peut aussi dire **separation**.)

8. **Resemblance** [rɪ'semləns].
9. **Tight :** *imperméable, étanche ; tendu* (corde). **A tight match :** *un match serré*. **To be tight :** *être ivre*. **Hold tight :** *tenez vous bien*. **Tight-fitting** (vêtement) **:** *serré*. **To tighten :** *serrer, resserrer*.
10. **To scatter :** *éparpiller*.
11. ⚠ **Large :** *grand, vaste*. **Wide :** *large* (≠ **narrow :** *étroit*).

Hal pulled Petey to his feet. "There'll be towels up at the house. Come on." But he paused, looking at his son. "You were crasy, running out there like that."

Petey looked at him solemnly [1]. "You were brave, Daddy."

"Was I?" The thought of bravery had never crossed his mind. Only his fear. The fear had been too big to see anything else. If anything else had indeed been there. "Come on, Pete."

"What are we going to tell Mom?"

Hal smiled. "I dunno [2], big guy [3]. We'll think of something."

He paused a moment longer, looking at the boards floating on the water. The lake was calm [4] again, sparkling [5] with small wavelets. Suddenly Hal thought of summer people he didn't even know – a man and his son, perhaps, fishing for the [6] big one. *I've got something, Dad!* the boy screams. *Well reel it up and let's see*, the father says, and coming up from the depths [7], weeds [8] draggling [9] from its cymbals, grinning its terrible, welcoming grin... the monkey.

He shuddered [10] – but those were only things that might be.

"Come on," he said to Petey again, and they walked up the path [11] through the flaming [12] October woods toward the home place.

---

1. **Solemnly** ['sɔləmlı].
2. **I dunno** : transcr. phon. de **I don't know**.
3. **Guy** [gaı] : *type*, aux US ; correspond au britannique **fellow**.
4. **Calm** [kɑːm].
5. **Spark** : *étincelle* ; **to sparkle** : *étinceler*. Cf. **to twinkle** (par exemple quand on parle d'une étoile).
6. La préposition **for** indique que l'on cherche à attraper des poissons.

Hal releva Petey.

— Il y a des serviettes à la maison. Viens. (Il s'interrompit et regarda son fils :) Tu es fou de t'être élancé dans l'eau.

Petey regarda gravement son père :

— Tu as été courageux, papa.

— Vraiment ?

Cette idée ne lui avait pas traversé l'esprit. Il avait eu si peur qu'il n'avait pensé à rien d'autre. Si tant est qu'il y ait eu autre chose.

— Allons-y, Petey.

— Qu'allons-nous dire à maman ?

Hal sourit.

— J'sais pas, mon grand. Nous trouverons quelque chose.

Il s'attarda encore un peu pour contempler les planches qui flottaient. Le lac s'était apaisé ; des vaguelettes scintillaient. Soudain, Hal songea à des estivants inconnus. Peut-être un père et son fils cherchant à pêcher un gros poisson. *J'ai attrapé quelque chose, p'pa,* s'écrie l'enfant. *Eh bien ! tourne ton moulinet, on va voir,* dit le père ; remontant des profondeurs, des herbes accrochées à ses cymbales, arborant son terrible sourire comme pour lui souhaiter la bienvenue... le singe.

Il frémit... mais il ne s'agissait là que d'une éventualité.

— Allons-y, répéta-t-il à Petey.

Ils gravirent le sentier parmi les bois flamboyants d'octobre, et rentrèrent dans la maison de son enfance.

---

7. **Depths :** *profondeurs ; portée, intensité.* **The depths :** *abîme, gouffre.*
8. **Weed :** m. à m. *mauvaise herbe.*
9. **To drag :** *traîner.* **To draggle** (US) **:** *traînasser*, ou *pendouiller* (cf. **to dangle**).
10. **To shudder :** *frémir.* **To shiver :** *frissonner.*
11. **Path :** *sentier, chemin* (à la campagne) ; **a lane :** *une ruelle.*
12. ⚠ **Flaming :** *flamboyant.* **On fire :** *en flammes.*

From The Bridgton News
October 24, 1980

MYSTERY OF THE DEAD FISH
By Betsy Moriarty

Hundreds of dead fish where found floating belly-up [1] on Crystal Lake in the neighboring township of Casco late last week. The largest numbers appeared to have died in the vicinity [2] of Hunter's Point, although the lake's currents make this a bit difficult to determine. The dead fish included all types commonly found in these waters – bluegills [3], pickerel, sunnies, carp, hornpout, brown and rainbow trout, even one landlocked [4] salmon. Fish and Game [5] authorities say they are mystified...

1. **Belly** : *ventre ; panse.*
2. **Vicinity**, ou **neighborhood**.
3. **Gill** [gɪl] : *ouïe d'un poisson*. Aux US, le terme **bluegills** désigne toutes sortes de petits poissons d'eau douce.

Extrait de la gazette de Bridgton
24 octobre 1980

MYSTÉRIEUSE HÉCATOMBE DE POISSONS
Par Betsy Moriarty

A la fin de la semaine dernière, on a retrouvé des centaines de poissons flottant ventre en l'air sur Crystal Lake, aux alentours de Casco. La majorité d'entre eux semblent avoir trouvé la mort aux abords du cap du Chasseur, mais les courants ne permettent pas de localiser l'endroit avec exactitude. Parmi les poissons morts, on trouve toutes les espèces qui vivent dans ces eaux : gardons, brochetons, poissons-lunes, carpes, poissons-chats, truites grises et saumonées, et même un saumon échoué. Les personnels des eaux et forêts ne trouvent pas d'explication...

---

4. **Lock :** *serrure.* **To be locked :** *être enfermé* (à clef). **Landlocked :** *enfermé par la terre* (par exemple, un poisson surpris par la marée descendante).
5. **Game :** 1) *jeu* ; 2) *gibier.*

RÉVISIONS

1. *Tu n'as jamais vu un singe ?*
2. *Dehors, il y eut un coup de vent glacial.*
3. *Petey chercha la main de Hal.*
4. *Dennis préféra ne pas insister... pour le moment.*
5. *Hal ferma la porte à clef et s'assit sur le couvercle des W.-C.*
6. *Le contact de cette fourrure lui répugnait.*
7. *La clef retentit sur le carrelage.*
8. *Je l'ai jeté dans le puits quand j'avais neuf ans.*
9. *L'oncle Will était mort six ans plus tôt.*
10. *Viens sur la véranda. J'ai une mauvaise nouvelle à t'annoncer.*
11. *Hal avait replacé les planches sur le trou en gémissant.*
12. *Les araignées lui tisseraient un suaire.*
13. *Vas-y ! Bats-moi si ça te fait plaisir.*
14. *Dennis tenta de se dégager.*
15. *Le grésil crépitait par à-coups sur la fenêtre.*
16. *Il cracha le dentifrice dans le lavabo et se rinça la bouche.*
17. *Il s'était réveillé en criant.*
18. *Il ne s'en souvenait presque plus.*
19. *Tu croyais t'être débarrassé de moi.*

1. Havent't you ever seen a monkey before?
2. Outside a cold gust of wind rose.
3. Petey felt for Hal's hand.
4. Dennis decided not to push it... for now.
5. Hal locked the door and sat down on the closed lid of the john.
6. He hated the way that fur felt.
7. The key clicked on the tile.
8. I threw it down the well when I was nine.
9. Uncle Will had died six years before.
10. Come out on the porch. I have to tell you some bad news.
11. Moaning, Hal had shoved the boards accross the hole.
12. Spiders would spin it a shroud.
13. Go ahead! Beat me if you want.
14. Dennis tried to pull away.
15. Sleet ticked sporadically off the window.
16. He spat toothpaste into the sink and rinsed his mouth.
17. He had awakened screaming.
18. He barely remembered any of this.
19. You thought you got rid of me.

Mrs. Todd's Shortcut

Le raccourci de Mme Todd

« Mon épouse est la véritable Mme Todd ; elle est vraiment obsédée par les raccourcis, et celui de l'histoire existe en grande partie. Elle l'a effectivement découvert. Et il est vrai aussi que Tabby (Tabitha King) donne parfois l'impression de rajeunir. Mais j'espère ne pas ressembler à Worth Todd. En tout cas, j'essaie. » S.K.

"There goes the Todd woman [1]," I said.

Homer Buckland watched the little Jaguar go by and nodded [2]. The woman raised her hand to Homer. Homer nodded his big, shaggy head to her but didn't raise his own hand in return. The Todd family had a big summer home on Castle Lake, and Homer had been their caretaker [3] since time out of mind. I had an idea that he disliked Worth Todd's second wife every bit as much [4] he'd liked 'Phelia [5] Todd, the first one.

This was just about two years ago and we were sitting on a bench in front of Bell's Market, me with an orange soda-pop, Homer with a glass of mineral water. It was October, which is a peaceful time in Castle Rock. Lots of the lake places still get used on the weekends, but the aggressive, boozy [6] summer socializing [7] is over by then and the hunters with their big guns and their expensive nonresident permits pinned to their orange caps [8] haven't started to come into town yet. Crops have been mostly laid by. Nights are cool, good for sleeping, and old joints like mine haven't yet started to complain. In October the sky over the lake is passing fair, with those big white clouds that move so slow; I like how they seem so flat on the bottoms, and how they are a little gray there, like with [9] a shadow of sundown foretold [10], and I can watch the sun sparkle [11] on the water and not be bored for some space of minutes [12]. It's in October, sitting on the bench in front of Bell's and watching the lake from afar off, that I still wish I was a smoking man.

"She don't [13] drive as fast as 'Phelia," Homer said.

---

1. **The Todd woman :** pop. pour **Mrs. Todd.**
2. **To nod :** *agiter la tête de haut en bas pour acquiescer.*
3. **Caretaker :** à la fois *gardien* et *factotum.*
4. **Everybit as much :** fam. pour **just as much (a bit :** *un morceau*).
5. **'Phelia :** dim. de **Ophelia** [ə'fi:ljə].
6. **Boozy :** adj. dérivé de **booze** (argot pour **alcohol**).
7. **Socializing** [ˌsəuʃəl'aɪzɪŋ]. **To socialize :** *fréquenter des gens, se faire des amis.* ⚠ **social :** 1) *social* ; 2) *mondain* ; **social events :** *chronique mondaine.*
8. **Their expensive... caps :** litt. *leurs permis de chasse délivrés aux personnes ne résidant pas* (dans l'État du **Maine**) *épinglés sur leurs casquettes.* Cette histoire se déroule dans le **Maine,** l'État le plus septentrional de la **Nouvelle-Angleterre** (composée du

— Tiens, v'là la mère Todd, fis-je.

Homer Buckland opina du chef en regardant passer la petite Jaguar. L'automobiliste le salua de la main. Sans lever la sienne, Homer répondit en inclinant sa grosse tête hirsute. La famille Todd possédait une grande maison de vacances au bord du lac du Château et Homer leur servait de gardien depuis des lustres. Visiblement, autant Phelia, la première femme de Worth Todd, lui avait inspiré de la sympathie, autant la nouvelle lui déplaisait.

Ça se passait il y a environ deux ans : nous étions assis sur un banc devant chez Bell, le magasin d'alimentation, moi avec un soda orange et Homer avec un verre d'eau minérale. On était en octobre, une période calme à Castle Rock. Des tas de gens viennent encore passer le week-end au bord du lac, mais ce n'est plus l'époque des beuveries et des mondanités tumultueuses de l'été, et pas encore celle où les chasseurs résidant dans d'autres États envahissent le village avec leurs grands fusils, en arborant sur leurs casquettes orange les permis de chasse qu'ils ont acquis à prix d'or. Les moissons sont presque toutes rentrées. La nuit, il fait frais ; on dort bien, et les gens comme moi ne sentent pas encore gémir leurs vieilles articulations. J'aime le ciel serein d'octobre au-dessus du lac, peuplé de grands nuages blancs et plats qui se déplacent tout doucement, avec une touche de gris qui semble annoncer la tombée du jour, et le scintillement du soleil sur l'eau qu'on peut contempler des heures durant sans s'ennuyer un seul instant. C'est en octobre, quand je contemple le lac au loin, assis sur le banc devant chez Bell, que j'ai la nostalgie du temps où je fumais.

— Elle conduit pas aussi vite que Phelia, fit Homer.

Maine, du **Vermont,** du **New Hampshire,** du **Massachusetts** et de **Rhode Island**).

9. **Like with :** fam. pour **as with.** On trouvera souvent des exemples d'« incorrections grammaticales », typiques du parler populaire US. **Like,** préposition, commande normalement un nom ou un pronom ; ≠ **as,** conj. (+ prép. ou proposition).
10. **To foretell :** *prédire*. Le préfixe **fore** signifie *en avant* (Cf. **forearm, before**...).
11. **Spark :** *étincelle* ; **to sparkle :** *étinceler, scintiller*.
12. **For some space of minutes :** expr. fam. à connotation populaire.
13. **She don't :** fam. pour **doesn't.** On retrouvera ce type d'incorrections grammaticales tout au long du texte qui reproduit le langage imagé de vieux campagnards peu cultivés du **Maine**, État relativement peu industrialisé.

"I swan [1] I used to think what an old-fashion name she had for a woman that could put a car through its paces [2] like she could [3].

Summer people like the Todds are nowhere near as interesting to the year-round residents of small Maine towns as they themselves believe. Year-round folk [4] prefer their own love stories and hate stories and scandals and rumors of scandal. When that textile fellow from Amesbury shot himself, Estonia Corbridge found that after a week or so [5] she couldn't even get invited to lunch on her story of how she found him with the pistol still in one stiffening hand. But folks are still not done talking [6] about Joe Camber, who got killed by his own dog.

Well, it don't matter. It's just that they are different racecourses we run on. Summer people are trotters; us others [7] that don't put on ties to do our week's work [8] are just pacers. Even so there was quite a lot of local interest when Ophelia Todd disappeared back in 1973.

●● Ophelia was a genuinely nice woman, and she had done a lot of things in town. She worked to raise money for the Sloan Library, helped to refurbish the war memorial, and that sort of thing. But *all* the summer people like the idea of raising money. You mention raising money and their eyes light up and commence to gleam. You mention raising money and they can get a committee together and appoint a secretary and keep an agenda. They like that. But you mention *time* (beyond, that is, one big long walloper [9] of a combined cocktail party and committee meeting) and you're out of luck [10].

---

1. **I swan I used to think. Swan :** transcr. phonétique de **sworn,** prononcé avec l'accent du **Maine.** Ce villageois utilise le participe passé au lieu du prétérite **swore (to swear** [sweə], **swore, sworn).**
2. **Put a car through its pace :** pop. et imagé. Litt. *tirer le maximum d'allure dont une voiture est capable.* **Pace :** *allure.*
3. **Like she could,** pour **as if she could.** Cf. note 9, p. 127. **Nowhere near :** fam. (US). On dirait généralement **far from being.**
4. **Folk :** *les gens, le peuple.* Mot collectif en anglais britannique ; s'utilise au plur. aux US. Cf. la fin des dessins animés US : **"That's all, folks".**
5. **Or so = about** *(à peu près).*
6. **Are still not done talking :** pop. pour **have not finished**

Ma parole, je m'disais qu'elle portait un nom bien démodé pour une femme qui savait si bien pousser une chignole à fond.

Pour les autochtones des petites villes du Maine, les estivants comme les Todd présentent bien moins d'intérêt qu'ils ne se l'imaginent. Les gens du coin préfèrent leurs propres histoires d'amour ; ils détestent les ragots, les scandales et les rumeurs de scandales. Quand le type des textiles d'Amesbury s'est flingué, il n'a pas fallu une semaine pour qu'on cesse d'inviter Eastonia Corbridge à déjeuner pour l'entendre raconter comment elle l'avait trouvé à moitié raide, avec son pistolet à la main. Mais Joe Camber, le gars qui s'est fait tuer par son chien, on en cause toujours.

Bah ! Qu'importe ? C'est simplement parce que nous ne courons pas sur les mêmes champs de course. Les estivants sont des trotteurs ; nous autres qui ne portons pas de cravate en semaine pour aller au boulot, on marche au pas. Malgré tout, en 1973, la disparition d'Ophelia Todd a beaucoup fait jaser dans les chaumières. C'était une femme vraiment bien et elle a beaucoup œuvré pour notre ville. Elle a contribué à collecter des fonds pour la Bibliothèque Sloan, elle a collaboré à la restauration du monument aux morts, et cetera, et cetera. Notez que l'idée d'une collecte de fonds, ça plaît toujours aux estivants. Il n'y a qu'à prononcer le mot ; ça fait tilt et leurs regards s'illuminent. Suffit d'évoquer une collecte de fonds et les voilà qui montent un comité, désignent un secrétaire et ouvrent un livre de comptes. Ça leur plaît. Mais si on évoque le temps (en dehors d'une grande fiesta qui sert à la fois de cocktail et de réunion du comité), rien ne va plus.

---

talking, ou **are not through it talking,** ou encore **are still talking.** Cf. **I'm not done with you :** fam. *je n'en ai pas fini avec vous.*

7. **Us others :** fam. En principe, **us** ne peut être sujet. La proximité du **Québec** francophone explique-t-elle ce gallicisme ?
8. **One week's work.** Noter que le cas possessif (ou génitif) s'utilise pour exprimer une distance ou une durée. Cf. a **three miles' journey.**
9. **Walloper :** argot US dérivé de **wallop** ['wɔlɔp] : 1) *un coup,* notamment au base-ball ; 2) *un moment d'intense plaisir.*
10. **You're out of luck :** m. à m. *vous êtes hors de chance.*

Time seems to be what summer people mostly set a store by [1]. They lay it by, and if they could put it up in Ball [2] jars like preserves [3], why, they would. But 'Phelia Todd seemed willing to *spend* time – to do desk duty in the library as well as to raise money for it. When it got down to using scouring pads [4] and elbow grease on the war memorial, 'Phelia was right [5] out there with town women who had lost sons in three different wars, wearing an overall with her hair done up in a kerchief. And when kids needed ferrying [6] to a summer swim program, you'd be as apt to [7] see her as anyone headed down Landing Road with the back of Worth Todd's big shiny pickup [8] full of kids. A good woman.

Not a town woman, but a good woman. And when she disappeared, there was concern. Not grieving, exactly, because a disappearance is not exactly like a death. It's not like chopping [9] something off with a cleaver; more like something running down the sink so slow you don't know it's all gone until long after it is.

" 'Twas a Mercedes she drove," Homer said, answering the question I hadn't asked. "Two-seater sportster [10]. Todd got it for her in sixty-four or sixty-five, I guess. You remember her taking the kids to the lake all those years they had Frogs and Tadpoles?"

"Ayuh."

"She'd drive [11] 'em no more than forty [12], mindful [13] they was in the back. But it chafed her. That woman had lead [14] in her foot and a ball bearing sommers [15] in the back of her ankle."

---

1. **To set a store by. Store :** *provision, réserve.* **To get in a store of sth. :** *faire provision de* ; **to set great store by sth. :** *faire grand cas de, attacher du prix à.*
2. **Ball :** *marque de confitures* ; **jar :** *bocal.*
3. ⚠ **preserves :** *conserves.* Le v. **to preserve** peut signifier aussi bien *conserver* que *préserver.*
4. **Scouring pads :** *tampons.* Mot composé de **pad** *(bourrelet, coussinet),* et **scour** *(récurer)* [skaʊ].
5. **Right** traduit ici l'idée d'immédiateté. Cf. **I'll be right with you :** *j'arrive tout de suite.*
6. **To ferry :** litt. *passer en bac* (cf. **ferry boat**).
7. **You'd be apt to :** fam. (US) pour **you could.**

Rien ne leur semble plus précieux que le temps. Ils le mettent de côté, et s'ils pouvaient le mettre en conserve dans des bocaux, sûr qu'ils le feraient. Mais Phelia Todd, elle voulait bien dépenser son temps, que ce soit pour aider à la bibliothèque ou pour collecter des fonds. Quand il a fallu récurer le monument aux morts à l'huile de coude, Phelia a enfilé une salopette et s'est noué un fichu autour des cheveux, et elle n'a pas hésité à y aller avec les femmes du village qui avaient perdu leurs fils au cours de trois grandes guerres successives. Et l'été, quand on avait besoin d'emmener les gosses se baigner, elle faisait comme tout le monde : on la voyait passer sur la route de Landing dans la grande camionnette rutilante de Worth Todd, la plate-forme arrière bourrée de gamins. C'était une brave femme ; pas une femme d'ici, mais une brave femme. Et au moment de sa disparition, les gens ne sont pas restés indifférents. Ce n'était pas vraiment du chagrin, parce qu'une disparition, c'est pas tout à fait la même chose qu'un décès. C'est pas comme une chose qui se fait déchiqueter par un hachoir, mais plutôt comme un objet qui s'enfonce dans un trou d'évier si lentement qu'on ne s'aperçoit qu'il n'est plus là que longtemps après sa disparition.

— C'est en Mercedes qu'elle roulait, dit Homer, en réponse à la question que je n'avais pas posée. Un cabriolet à deux places. Todd la lui avait achetée en soixante-quatre ou en soixante-cinq. Tu te souviens quand elle emmenait les gosses au lac à l'époque où y avait des grenouilles et des têtards ?

— Ouais.

— Elle ne dépassait pas le soixante à l'heure, à cause des gosses sur la plate-forme arrière. Mais ça la faisait piaffer. C'te femme-là avait du plomb dans le pied et un roulement à bille quéqu'part dans la cheville.

---

8. **Pickup :** (US) *camionnette* (GB, **van**), dont la plate-forme arrière n'est généralement pas bâchée.
9. **To chop :** *couper* (du bois), *hacher menu.* **A chopper :** 1) *un hachoir ;* 2) *un hélicoptère.*
10. **Sportster :** litt. *voiture de sport.*
11. Pour **she would drive. Would** indique la forme fréquentative (litt. *elle conduisait habituellement).*
12. **forty** (s.e. **miles**). **1 mile :** *1 609,33 m.*
13. **mindful they was.** Pop. pour **because she minded the fact that they were.**
14. ⚠ **lead** [led] **:** *plomb* ≠ **to lead** [li:d] **:** *mener.*
15. **sommers :** transcr. phon. de **somewhere** prononcé avec l'accent du Maine.

It used to be that Homer never talked about his summer people. But then his wife died. Five years ago it was. She was plowing a grade and the tractor tipped over [1] on her and Homer was taken bad off about it [2]. He grieved for two years or so and then seemed to feel better. But he was not the same. He seemed waiting for something to happen, waiting for the next thing. You'd pass his neat [3] little house sometimes at dusk and he would be on the porch [4] smoking a pipe with a glass of mineral water on the porch rail and the sunset would be in his eyes and pipe smoke around his head and you'd think – I did, anyway – *Homer is waiting for the next thing.* This bothered me over a wider range of my mind than I liked to admit [5], and at last I decided it was because if it had been me, I wouldn't have been waiting for the next thing, like a groom [6] who has put on his morning coat and finally has his tie right and is only sitting there on a bed in the upstairs of his house and looking first at himself in the mirror and then at the clock on the mantel [7] and waiting for it to be eleven o'clock so he can get married. If it had been me, I would not have been waiting for the next thing; I would have been waiting for the last thing.

But in that waiting period – which ended when Homer went to Vermont [8] a year later – he sometimes talked about those people. To me, to a few others.

"She never even drove fast with her husband, s'far [9] as I know. But when I drove with her, she made that Mercedes strut [10]."

A fellow pulled in [11] at the pumps and began to fill up his car. The car had a Massachusetts [12] plate [13].

---

1. **Tipped over.** C'est la postposition **over** qui traduit l'idée de renversement.
2. **Was taken bad off about it.** Pop. Par analogie avec **he was taken ill** *(il est tombé malade).* **To be bad off :** litt. *manquer de ressources* (financières). ≠ **well off :** *aisé, riche.*
3. **Neat :** *coquet, bien arrangé.*
4. **Porch :** *terrasse couverte, véranda,* située devant la porte d'entrée de la plupart des maisons individuelles dans les campagnes et les banlieues US.
5. **This bothered... admit.** Image à saveur de terroir. M. à m. *Ceci m'a intrigué sur une plus grande étendue de mon esprit que je ne suis prêt à l'admettre.*
6. **Groom :** 1) *Jeune marié* ; 2) *palefrenier.* ⚠ *Un groom* = **bell boy.**

Il fut un temps où Homer ne parlait jamais de ses estivants. Mais cinq ans auparavant, il avait perdu sa femme. Son tracteur s'était renversé sur elle pendant qu'elle labourait une pente. Homer en avait été très affecté. Durant environ deux ans, il avait eu beaucoup de chagrin. Et puis ça a semblé s'arranger. Mais il n'était plus le même. Il paraissait attendre quelque chose, attendre la suite. Au crépuscule, en passant devant sa coquette petite maison, on le voyait accoudé à la balustrade de sa terrasse ; il fumait la pipe avec un verre d'eau minérale à la main, le coucher de soleil dans les yeux et la tête auréolée de fumée de tabac ; on se disait (en tout cas moi, je me disais) : *Homer attend la suite.* Ça me turlupinait malgré moi, et j'ai fini par me dire que c'était parce qu'à sa place, ce n'est pas la suite que j'aurais attendue, comme un fiancé qui ajuste sa cravate après avoir revêtu son costume du matin et qui, assis sur un lit à l'étage, se contente de se regarder dans la glace et d'attendre que la pendule de la cheminée marque onze heures pour aller se marier. À la place d'Homer, ce n'est pas la suite que j'aurais attendue, mais la fin.

Mais pendant cette période d'expectative, qui avait pris fin un an plus tard lorsqu'il était allé dans le Vermont, il arrivait à Homer de parler de ces gens. À moi et à quelques autres.

— Autant qu'je sache, elle faisait même pas de vitesse avec son mari. Mais quand j'montais dans sa Mercedes, c'était comme à la parade.

Un type a fait halte devant les pompes à essence pour faire le plein. Il était immatriculé dans le Massachusetts.

---

7. **Mantel** (US) ou **mantlepiece** : *cheminée.* ⚠ **fireplace** : *âtre,* partie de la cheminée où on fait du feu ; **chimney** : *conduit de la cheminée.*
8. **Vermont** : État limitrophe du **Maine.**
9. **S'far = as far as I know** *(autant que je le sache).*
10. **To strut** : *se pavaner* ; argot US = bien faire ce pourquoi on est qualifié.
11. **To pull in** : (automobile) = *se garer, s'arrêter.*
12. **Massachusetts** (capitale **Boston**) : État de Nouvelle-Angleterre beaucoup plus industrialisé et urbanisé que le **Maine** ; d'où les remarques sur l'agitation des touristes qui en proviennent et qui ont un rythme de vie beaucoup plus trépidant que les campagnards du **Maine**.
13. **Plate** : *plaque minéralogique.*

"It wasn't one of these new sports cars that run [1] on onleaded gasoline and hitch every time you step on it [2]; it was one of the old ones, and the speedometer was calibrated all the way up to a hundred and sixty. It was a [3] funny color of brown and I ast [4] her one time what you called that color and she said it was Champagne. Ain't [5] that *good*, I says [6], and she laughs fit to split [7]. I like a woman who will laugh when you don't have to point her right at the joke, you know."

The man at the pumps had finished getting his gas.

"Afternoon, gentlemen," he says as he comes up the steps.

"A good day to you," I says, and he went inside.

" 'Phelia was always lookin for a shortcut," Homer went on as if we had never been interrupted. "That woman was mad for a shortcut. I never saw the beat of it [8]. She said if you can save enough distance, you'll save time as well. She said her father swore by that scripture [9]. He was a salesman, always on the road, and she went with him when she could, and he was always lookin for the shortest way. So she got in the habit.

"I ast her one time if it wasn't kinda [10] funny – here she was on the one hand, spendin her time rubbin [11] up that old statue in the Square [12] and takin the little ones to their swimmin lessons instead of playing tennis and swimming and getting boozed up like normal summer people, and on the other hand bein so damn set [13] on savin fifteen minutes between here and Fryeburg that thinkin about it probably kep [14] her up nights. It just seemed to me the two things went against each other's grain [15], if you see what I mean.

---

1. **To run :** *marcher, circuler* (pour une voiture).
2. **To step on it :** fam. pour **step on the accelerator.**
3. Noter l'emploi de l'article indéfini. **It's a funny color :** *elle est d'une drôle de couleur.*
4. **Ast :** transcr. phon. de **asked** fréquente aux US où la palatalisation a provoqué l'élision du **k.** US : [æs(k)t] ≠ GB : [a:skt].
5. **Ain't** pour **isn't** (fréquent aux US).
6. **I says :** fam. pour **I say.**
7. **She laughed fit to split.** Expr. fam. imagée. **To split, split, split :** *fendre* ; **to split one's sides :** *se tordre de rire.*
8. **I never saw the beat of it :** expr. fam. Litt. *je n'ai jamais vu battre cela.*
9. **Scripture :** *Sainte Écriture* (la Bible). **Swore** (cf. note 1, p. 128) **by that Scripture :** litt. *jurait par cette Bible.*

— C'était pas une de ces voitures de sport modernes qui marchent à l'essence sans plomb et qui hoquètent chaque fois qu'on appuie sur le champignon ; c'était un ancien modèle avec un compteur qui montait jusqu'à deux cent trente. Elle était d'une drôle de couleur et j'lui ai demandé comment s'dénommait c'te marron bizarre ; champagne, qu'elle m'a répondu. Elle est *bien bonne*, que j'dis, et v'la ti pas qu'elle se tord de rire. J'aime bien les femmes qui rient sans qu'on ait besoin de leur expliquer une blague.

Le type avait terminé son plein d'essence.

— B'jour, messieurs, dit-il en montant l'escalier.

— Bien le bonjour, que j'dis. (Et puis il est entré dans la boutique.)

— Phelia était toujours en quête de raccourcis, poursuivit Homer comme si nous n'avions pas été interrompus. C'était une fanatique des raccourcis. Tu peux pas t'imaginer. Elle disait qu'en économisant de la distance, on économisait du temps, et que son père y croyait dur comme fer. Son père était commis voyageur : il passait sa vie sur les routes et elle l'accompagnait chaque fois que possible. Il recherchait toujours le chemin le plus court, et il lui avait transmis cette habitude.

— Un jour, j'lui ai demandé si y avait pas queuque chose de bizarre : d'un côté, elle consacrait son temps à astiquer la vieille statue de la place et à accompagner les gosses à leurs leçons de natation, au lieu de jouer au tennis, de se baigner et de se pinter comme une estivante normale ; et d'un autre côté, elle était si obnubilée par le besoin de gagner quinze minutes entre ici et Fryeburg que ça devait l'empêcher de dormir. J'avais l'impression qu'ça collait pas ensemble, si j'me fais bien comprendre.

---

10. **Kinda** : transcr. phon. de **kind of.** Fam. (US) pour **somewhat** *(quelque peu).*
11. **Rubbin = rubbing.** Noter l'élision systématique du **g** dans les terminaisons **ing,** lorsque ce sont Homer ou Dave qui parlent. Même prononciation chez les Afro-Américains.
12. **▲ A square :** *une place publique. Un square :* **a public garden.** Cf. **Madison Square, Trafalgar Sq.**
13. **So damn set on it.** Dans le langage familier, **damn** (litt. **damned :** *damné*) renforce le sens. Cf. *sacré, foutu.* Cf. plus loin : **that damn glue :** *cette putain de colle.*
14. **Kep :** pour **kept (to keep, kept, kept).**
15. **To go against the grain :** litt. *aller contre le grain du bois.*

She just looks at me and says, 'I like being[1] helpful, Homer. I like driving, too – at least sometimes, when it's a challenge – but I don't like the *time* it takes. It's like mending clothes – sometimes you take tucks[2] and sometimes you let things out. Do you see what I mean?'

" 'I guess so, missus,' I says, kinda dubious.

" 'If sitting behind the wheel of a car was my idea of a really good time *all* the time, I would look for long-cuts,' she says, and that tickled[3] me s'much I had to laugh."

The Massachusetts fellow came out of the store[4] with a six-pack in one hand and some lottery tickets in the other.

"You enjoy your weekend," Homer says.

"I always do," the Massachusetts fellow says. "I only wish I could afford[5] to live here all year round."

"Well, we'll keep it all in good order for when you *can* come," Homer says, and the fellow laughs.

We watched him drive off[6] toward someplace, that Massachusetts plate showing. It was a green one. My Marcy says those are the ones the Massachusetts Motor Registry[7] gives to drivers who ain't[8] had a accident in that strange, angry, fuming[9] state for two years. If you have, she says, you got to have a red one so people know to watch out for you when they see you on the roll.

"They was[10] in-state people[11], you know, the both[12] of them," Homer said, as if the Massachusetts fellow had reminded[13] him of the fact.

"I guess I did know that," I said.

---

1. **I like being,** ou **I like to be.** Les deux constr. sont possibles.
2. **Tuck :** revers. **To tuck in a bed :** *border un lit.*
3. **To tickle :** *chatouiller.* Ici, m. à m. : *ça m'a tant chatouillé que ça m'a fait rire.*
4. *Boutique :* **store** (US) ; **shop** (GB). **Big stores,** ou **emporium :** *grands magasins.* Autre sens : *entrepôt, réserves.*
5. **To afford** [ə'fɔ:d] **:** *pouvoir se permettre, pouvoir s'offrir.* **I can't afford this car :** *cette voiture est trop chère pour moi* ; **I can't afford going to Tahiti :** *je n'ai pas les moyens d'aller à Tahiti.*
6. **Drive off :** c'est la postposition qui traduit l'idée de séparation, de départ, d'éloignement.
7. **Motor Registry :** litt. *le bureau où l'on immatricule les voitures.*

Alors elle dit en me regardant : « J'aime me rendre utile, Homer. Et j'aime aussi conduire (du moins quand il y a un défi à relever) ; mais je n'aime pas le temps que cela prend. C'est comme le raccommodage : il faut tantôt faire des ourlets, et tantôt les défaire. Vous me suivez ? »

— « Pour sûr », que j'fais, un tantinet perplexe.

— « Rester assise au volant d'une voiture, ça ne m'amuse pas *toujours* ; autrement, je ferais des rallongis, dit-elle. » C'était marrant et j'ai bien rigolé.

Le type du Massachusetts est sorti de la boutique, un pack de bières dans une main et des billets de loterie dans l'autre.

— Bon week-end, fait Homer.

— J'y manquerai pas, dit le type du Massachusetts. Si seulement j'avais les moyens de passer toute l'année ici !

— Nous allons bichonner c'te village pour quand vous réussirez à venir, dit Homer et ça fait rigoler le type.

Nous l'avons regardé s'éloigner, avec sa plaque minéralogique du Massachusetts à l'arrière de sa voiture.

C'était une plaque verte. Marcy, ma femme, dit que la préfecture du Massachusetts délivre ces plaques aux conducteurs qui n'ont eu aucun accident en deux ans dans ce drôle d'État irascible où tout le monde fulmine. Elle dit que, dans le cas contraire, on vous en impose une rouge pour que les gens prennent garde quand ils vous voient rouler.

— Tu sais, y zétaient tous les deux du Maine, fit Homer, comme si le type du Massachusetts lui avait rappelé ce détail.

— Bien sûr que je le savais, dis-je.

La traduction par « *préfecture* » est naturellement une adaptation, puisque l'organisation administrative des US diffère de la nôtre.

8. **Ain't** : ici transcr. de **have not.** Plus souvent, en amér. familier, **ain't** est une contraction de **isn't.**
9. **▲ To fume** : *fulminer.*
10. **They was,** pour **were.**
11. Le **Maine** étant essentiellement rural et forestier, la vie moderne y a moins pénétré que dans le **Massachusetts,** État que les vieux narrateurs considèrent avec un étonnement mêlé de mépris.
12. **The both** : pop. pour **both.**
13. **I remember the fact** : *je me souviens de ce fait* ; **it reminds me of the fact** : *cela me rappelle ce fait.*

"The Todds are just about the only birds we got that fly north in the winter. The new one, I don't think she likes flying north too much."

He sipped[1] his mineral water and fell silent a moment, thinking.

"*She* didn't mind it, though," Homer said. "At least, I *judge* she didn't although she used to complain about it something fierce[2]. The complaining was just a way to explain why she was always lookin for a shortcut."

"And you mean her husband didn't mind her traipsing down every wood-road in tarnation[3] between here and Bangor[4] just[5] so she could see if it was nine-tenths of a mile shorter?"

"He didn't care piss-all[6]," Homer said shortly, and got up, and went in the store. There now, Owens, I told myself, you know it ain't safe to ast[7] him questions when he's yarning[8], and you went right ahead and ast one, and you have buggered a story that was starting to shape up promising[9].

I sat there and turned my face up into the sun and after about ten minutes he come out with a boiled egg[10] and sat down. He ate her and I took care not to say nothing[11] and the water on Castle Lake sparkled as blue as something as might be told of in a story about treasure[12]. When Homer had finished his egg and had a sip of mineral water, he went on. I was surprised, but still said nothing. It wouldn't have been wise.

"They had two or three different chunks[13] of rolling iron," he said. "There was the Cadillac, and his truck[14], and her little Mercedes go-devil[15]. A couple of winters he left the truck, 'case[16] they wanted to come down and do some skiin.

---

1. **To sip** : *boire à petites gorgées, siroter.*
2. ⚠ **Fierce = fiercely** : litt. *farouchement.*
3. **Tarnation** : pop. US pour **damnation.**
4. **Bangor** : *ville côtière* du **Maine.**
5. **Just... see** : pop. pour **so that he could see.**
6. **Piss-all** : argot US. Litt. *il n'en avait rien à pisser.*
7. **To ast** : pop. pour **ask.** (Cf. note 4, p. 134).
8. **Yarn** : 1) *fil* (de coton, de nylon, etc.) ; 2) *longue histoire.* **To spin a yarn** : 1) filer du coton ; 2) *débiter une histoire.*
9. **Shape up promising** : litt. *prendre forme* (de façon) *prometteuse.*
10. **Soft boiled egg** : *œuf à la coque* ; **hard boiled egg** : *œuf dur* ; **fried eggs** : *œufs au plat* ; **scrambled eggs** : *œufs brouillés.*

— Les Todd sont des oiseaux rares : ce sont à peu près les seuls qui migrent vers le nord en hiver. La nouvelle, j'crois bien que ça lui chante pas trop de migrer vers le nord.

Il but une gorgée d'eau minérale et demeura pensif pendant quelques instants.

— *Elle,* ça la dérangeait pas, fit Homer. Du moins à ce que *j'crois*. Et pourtant ça la faisait bougrement râler, mais c'était une manière d'expliquer pourquoi elle n'arrêtait pas de chercher des raccourcis.

— Et son mari la laissait se baguenauder sur toutes ces satanées routes forestières entre ici et Bangor, dans le seul but de voir si elle pouvait gagner cent mètres ?

— Il s'en fichait comme de sa première chemise », répliqua sèchement Homer. Total, il se lève et va dans la boutique. C'est malin, Owens, me suis-je dit, tu sais pourtant qu'il n'y a pas intérêt à lui poser de questions quand il raconte une histoire ; voilà, tu as réussi à bousiller une histoire prometteuse.

Je suis resté sur le banc, le visage exposé au soleil, et au bout d'une dizaine de minutes, il est revenu s'asseoir avec un œuf dur. Je l'ai laissé le manger sans mot dire ; l'eau bleue du lac du Château étincelait comme un trésor de conte de fées. Homer termina son œuf et but un peu d'eau minérale. À ma grande surprise, il reprit son histoire. Mais je n'ai pas bronché. C'était plus prudent.

— Ils avaient deux ou trois tas de ferraille à roulettes, fit-il. Y avait la Cadillac, la camionnette de Worth et la Mercedes, le petit bolide de Phelia. Pendant deux hivers, Todd a laissé la camionnette ici, au cas où ils auraient eu envie de venir faire un peu de ski.

---

11. **Not to say nothing :** angl. non standard pour **not to say anything.** Normalement, les deux négations devraient s'annuler.

12. **As blue... treasure :** m. à m. *aussi bleue qu'une chose dont on pourrait parler dans une histoire de trésor.*

13. **Chunk :** *gros morceau.* **A chunk of bread :** *un quignon.* **Chunks of rolling iron :** litt. *morceaux de ferraille sur roues.*

14. *Camion :* GB : **lorry ;** US : **truck.**

15. **Go-devil :** expression presque affectueuse. Litt. *qui file comme le diable.*

16. **'case,** pour **in case** *(au cas où).*

Mostly when the summer was over he'd drive the Caddy back up and she'd take her go-devil."

I nodded but didn't speak. In truth, I was afraid to risk another comment. Later I thought it would have taken a lot of comments to shut Homer Buckland up that day. He had been wanting to tell the story of Mrs. Todd's shortcut for a long time.

"Her little go-devil had a special odometer [1] in it that told you how many miles was in a trip [2], and every time she set off [3] from Castle Lake to Bangor she'd set it to 000-point-O and let her clock [4] up to whatever. She had made a game of it, and she used to chafe [5] me with it."

He paused, thinking that back over.

"No, that ain't right."

He paused more and faint lines showed up on his forehead like steps on a library ladder.

"She *made* like [6] she made a game of it, but it was a serious business to her. Serious as anything else, anyway." He flapped a hand and I think he meant the husband. "The glovebox of the little go-devil was filled with [7] maps, and there was [8] a few more in the back where there would be a seat in a regular [9] car. Some was [10] gas station [11] maps, and some was pages that had been pulled from the Rand-McNally Road Atlas [12]; she had some maps from Appalachian [13] Trail guidebooks and a whole mess of topographical survey [14]-squares, too. It wasn't her having those maps that made me think it wa'n't a game; it was how she'd drawed [15] lines on all of them, showing routes [16] she'd taken or at least tried to take.

---

1. **Odometer :** du grec **odos** *(route)* et **metros** *(mesure).*
2. Pop. pour **how many miles there were in a trip.**
3. **Off** indique l'idée de départ, de séparation. **I must be off :** *il faut que je parte.*
4. **Clock :** *horloge,* ou *compteur* (de taxi). Noter la capacité de l'américain à transformer les substantifs en verbes.
5. **To chafe :** 1) *frotter* ; 2) *s'impatienter, s'irriter...*
6. **She made like :** pop. pour **she pretended to make a game of it.**
7. **Filled with,** pour **full of.**
8. **There was** pour **there were.** A **few** + plur. ≠ **a little** + sing. **A little water,** mais **a few books, a few people (people :** *les gens* : plur.).

En général, à la fin de l'été, il rentrait en Cadillac et elle prenait son petit bolide.

J'ai hoché la tête sans mot dire. À dire vrai, je n'osais pas me risquer à une nouvelle remarque. Par la suite, je me suis dit que ce jour-là, il aurait fallu beaucoup de remarques pour faire taire Homer Buckland. Il y avait longtemps qu'il brûlait de raconter l'histoire du raccourci de Mme Todd.

— Dans ce petit bolide, il y avait un odomètre spécial qui indiquait les kilomètres parcourus au cours d'un trajet ; en quittant Castle Rock pour Bangor, elle le mettait toujours à zéro tout rond pour voir jusqu'où il monterait. C'était un jeu, et elle me rebattait les oreilles avec cette histoire.

Il fit une pause, puis se reprit.

— Non, c'est pas ça.

Il se tut de nouveau et des rides légères se formèrent sur son front : on aurait dit les marches d'un escabeau de bibliothèque.

— Elle feignait d'en faire un jeu, mais elle prenait ça au sérieux. En tout cas aussi au sérieux que n'importe quoi d'autre. (Il agita la main et je crois qu'il faisait allusion au mari.) Y avait plein de cartes dans la boîte à gants du petit bolide, et aussi à l'arrière, à l'endroit où y aurait eu un siège dans une voiture normale. Y avait des cartes qu'on distribue dans les stations-service, et d'autres qu'elle avait arrachées dans l'atlas routier Rand-McNally. Y en avait qui provenaient des guides de randonnée des Appalaches, et tout un tas de cartes d'état-major. C'est pas ces cartes qui m'ont fait dire que c'était pas un jeu ; c'est parce qu'elle les avait toutes recouvertes de traits indiquant les itinéraires qu'elle avait empruntés, ou du moins qu'elle avait tenté d'emprunter.

---

9. **Regular :** 1) *régulier* ; 2) *normal, habituel.* **Regular gas** (GB **petrol**) **:** *essence ordinaire.*
10. **Some was :** pour **some were.**
11. **Gas station maps :** aux US, dans les années 60, on distribuait gratuitement des cartes routières dans les stations d'essence.
12. L'atlas routier le plus répandu aux US.
13. Les **Appalaches** sont la chaîne montagneuse parallèle à la côte atlantique qui s'étend du **Canada** jusqu'aux États du sud des US.
14. **Survey :** 1) *vue générale* ; 2) **survey of land :** *relevé, levé.* Ici, **survey squares :** *cartes topographiques* très détaillées.
15. **Drawed :** pop. pour **drawn (to draw, drew, drawn).**
16. ⚠ **route :** *trajet, itinéraire,* ou *route maritime* ≠ **road :** *route (terrestre).*

"She'd been stuck [1] a few times, too, and had to get a pull [2] from some farmer with a tractor and chain.

"I was there one day laying tile [3] in the bathroom, sitting there with grout [4] squittering out of every damn crack you could see – I dreamed of nothing but squares and cracks that was bleeding grout that night – and she come stood [5] in the doorway and talked to me about it for quite a while. I used to chafe her about it, but I was also sort of interested, and not just because my brother Franklin used to live down-Bangor and I'd traveled most of the roads she was telling me of. I was interested just because a man like me is always uncommon interested in knowing the shortest way, even if he don't always want to take it. You that way too [6]?"

"Ayuh," I said. There's something powerful about knowing the shortest way, even if you take the longer [7] way because you know your mother-in-law is sitting home. Getting there quick is often for the birds, although no one holding a Massachusetts driver's license seems to know it [8]. But *knowing* how to get there quick – or even knowing how to get there a way that the person sitting beside you don't know... that has power.

"Well, she had them roads [9] like a Boy Scout has his knots," Homer said, and smiled his large, sunny grin [10]. "She says, 'Wait a minute, wait a minute,' like a little girl, and I hear her through the wall rummaging through her desk, and then she comes back with a little notebook that looked like [11] she'd had it a good long time. Cover [12] was all rumpled, don't you know, and some of the pages had pulled loose [13] from those little wire rings on one side.

---

1. **To be stuck :** m. à m. *être collé, englué.*
2. **A pull :** 1) ici *traction, tirage* ; 2) (fam.) *piston.*
3. **Tile :** *tuile ; carreau, carrelage.*
4. **Grout :** m. à m. *mortier* ; **to grout :** *sceller des pierres avec du ciment.*
5. **She come stood :** pop. pour **she came and stood.**
6. Fam. pour **are you that way** (litt. *es-tu ainsi ?*).
7. **The longer.** Noter l'emploi du comparatif. Théoriquement, s'emploie si on ne compare que deux éléments. **He is the bigger of the two ≠ he is the biggest one** (de tous). Homer et Dave ne respectent pas ces règles, ce qui constitue un indice de classe sociale.

Elle s'est embourbée à plusieurs reprises, et elle a dû se faire remorquer par des tracteurs munis de chaînes.

Un jour, je posais des carrelages dans leur salle de bains, assis par terre, avec de la colle qui suintait par tout les putains d'interstices (pendant toute cette nuit-là j'ai rêvé de carrés et de fentes dégoulinant de colle) ; elle est venue dans l'embrasure de la porte et m'a parlé de ça pendant un long moment. Ça me cassait un peu les pieds, mais en même temps ça m'intéressait. Non pas seulement passe que mon frangin Franklin avait habité à Bangor et que j'avais parcouru presque toutes les routes dont elle me parlait. Ça m'intéressait simplement passe qu'un type comme moi, les chemins les plus courts, ça l'intéresse toujours beaucoup, même s'il n'a pas forcément l'intention de les prendre. Pas toi ?

— Ouais », fis-je. Connaître le plus court chemin, ça a quelque chose de fascinant, même si on emprunte le plus long sous prétexte qu'on sait que la belle-mère vous attend à la maison. Ce sont surtout les oiseaux qui arrivent vite, bien que les détenteurs d'un permis de conduire du Massachusetts ne semblent jamais s'en rendre compte. Mais *savoir* comment arriver vite à destination, ou même savoir comment arriver à destination par un chemin ignoré par son compagnon de voyage... c'est fascinant.

— Eh bien ! ces itinéraires n'avaient pas plus de secrets pour elle que les nœuds pour un boy-scout, fit Homer, le visage illuminé par un large sourire. Elle a dit : « Attendez, attendez », comme une petite fille ; je l'ai entendue fouiller dans son bureau de l'autre côté de la cloison, et puis elle est revenue avec un petit carnet à spirales qu'elle avait l'air de posséder depuis longtemps. Figure-toi que la couverture était toute froissée et y avait des pages arrachées.

---

8. Une nouvelle fois, le conteur campagnard du **Maine** lance une pique aux habitants des villes du **Massachusetts.**
9. Pour **those roads.** Noter l'emploi idiomatique de **to have** dans le sens de *connaître* (litt. *posséder*).
10. **Grin** : 1) *large sourire* ; 2) *rictus, sourire grimaçant.*
11. Pour **looked as if...**
12. Pour **the cover.**
13. **Loose** : 1) ici m. à m. *détaché* (page), *défait, délié* ; 2) *détendu* (corde).

" 'The way Worth goes – the way *most* people go – is Route 97 [1] to Mechanic Falls, then Route 11 to Lewiston, and then the Interstate to Bangor. 156.4 miles.' "

I nodded.

" 'If you want to skip the turnpike – and save some distance – you'd go to Mechanic Falls, Route 11 to Lewiston, Route 202 to Augusta, then up Route 9 through China Lake and Unity and Haven to Bangor. That's 144.9 miles.'

" 'You won't save no time [2] that way, missus,' I says, 'not going through Lewiston *and* Augusta. Although I will admit that drive up the Old Derry Road to Bangor is real pretty [3].'

" 'Save enough [4] miles and soon enough you'll save time,' she says. 'And I didn't say that's the way I'd go, although I have a good many times; I'm just running down the routes most people use. Do you want me to go on?'

" 'No,' I says, 'just leave me in this cussed [5] bathroom all by myself starin [6] at all these cussed cracks until I start to rave [7].'

" 'There are four major routes in all,' she says. 'The one by Route 2 is 163.4 miles. I only tried it once. Too long.'

" 'That's the one I'd hosey [8] if my wife called and told me it was leftovers,' I says, kinda low.

" 'What was that?' she says.

" 'Nothin,' I says. 'Talkin to the grout.'

" 'Oh. Well, the fourth – and there aren't too many who know about it, although they are all good roads – paved, anyway – is across Speckled [9] Bird Mountain on 219 to 202 *beyond* Lewiston.

---

1. **Route 97.** Route intérieure à l'État (cf. nos départementales) ; **Interstate :** *autoroute inter-États* ; **turnpike :** à l'origine *route à octroi* ; aujourd'hui : *autoroute à péage.* Autres termes pour *autoroute :* **freeway** (gratuit), ou **speedway.** En GB : **motorway.**
2. **You won't save no time :** pop. pour **any time. To save :** *économiser, mettre de côté.* **Savings :** *économies* ; **a savings account :** *un compte d'épargne* ; **a safe :** *un coffre-fort.*
3. **Real pretty.** Noter l'usage fréquent d'adj. à valeur adverbiale dans ce texte. Aux US, cet usage est courant dans la conversation.
4. Noter la construction de **enough** [i'nʌʃ] : avant le substantif, mais après l'adv. ou l'adj. : **enough miles,** mais **soon enough**.

— « Comme *la plupart* des gens, Worth prend la Départementale 97 jusqu'à Mechanic Falls, la 11 jusqu'à Lewiston, puis l'autoroute nationale jusqu'à Bangor. 249 km. »

J'ai hoché la tête.

— « Si on veut éviter l'autoroute et gagner des kilomètres, il faut aller à Mechanic Falls, prendre la 11 jusqu'à Lewiston, la 202 jusqu'à Augusta, puis la 9 jusqu'à Bangor en passant par China Lake, Unity et Heaven. Ça fait 184,3 km. »

— « Mais, m'dame, on ne gagne point de temps en passant par Lewiston *et* Augusta, que j'dis. Remarquez que l'Old Derry est une très jolie route pour se rendre à Bangor. »

— « Qui gagne des kilomètres finit toujours par gagner du temps, dit-elle. D'ailleurs, bien que je l'aie souvent suivi, je n'ai pas dit que c'est le chemin que je choisirais. Je ne fais qu'énumérer les itinéraires les plus couramment empruntés. Vous voulez que je continue ? »

— « Non, que j'fais. Laissez-moi seul dans c'te putain de salle de bains ; comme ça, à force de contempler ces foutues fissures, j'deviendrai dingo. »

— « En tout, il y a quatre itinéraires principaux, dit-elle. Celui de la 2 fait 261,7 km. Je ne l'ai essayé qu'une seule fois. C'est trop long. »

J'marmonne que c'est celui que j'choisirais si ma femme me téléphonait pour dire qu'il n'y avait que des vieux rogatons à manger.

— « Qu'est-ce que vous dites ? demande-t-elle. »

— « Rien, que je fais. J'cause à ma colle. »

— « Ah ! Bon ? Peu de gens connaissent le quatrième itinéraire ; il suit pourtant de bonnes routes (en tout cas ce ne sont pas des chemins de terre). Il passe par le mont de l'Oiseau Moucheté en empruntant la 219 en direction de la 202 *une fois passé Lewiston.*

---

5. **Cussed,** pour **cursed** *(maudit)* ; cf. **damned.**
6. **Stare :** *regard fixe* ; **gaze :** *regard prolongé* ; **glance :** *coup d'œil* ; **peep :** *coup d'œil furtif, indiscret* (**he peeped through the keyhole :** *par le trou de la serrure* ; **a peeping Tom :** *un voyeur*) ; **glare :** *regard plein de colère.*
7. **To rave :** *délirer, divaguer.* **Raving mad :** *fou à lier.*
8. **I'd hosey :** transcr. phon. de la prononciation régionale de **I would have chosen.**
9. **Speck :** *grain, petite tache* ; **to speckle :** *moucheter, tacheter.* **A spot of colour,** ou **a patch of colour :** *une tache de couleur.* **A stain :** *tacher* (salissure) : **a greasy stain, an ink stain, a bloodstain** *(de graisse, d'encre, de sang).*

Then, if you take Route 19, you can get around Augusta. Then you take the Old Derry Road. That way is just 129.2.'

"I didn't say nothing for a little while and p'raps [1] she thought I was doubting [2] her because she says, a little pert, 'I know it's hard to believe, but it's so.'

"I said I guessed [3] that was about right, and I thought – looking back – it probably was. Because that's the way I'd usually go when I went down to Bangor to see Franklin when he was still alive. I hadn't been that way in years, though. Do you think a man could just – well – forget a road, Dave?"

I allowed it was [4]. The turnpike is easy to think of. After a while it almost fills a man's mind, and you think not how could I get from here to there but how can I get from here to the turnpike ramp [5] that's *closest* to there. And that made me think that maybe there are lots of roads all over [6] that are just going begging; roads with rock walls beside them, real roads with blackberry bushes growing alongside them but [7] nobody to eat the berries but the birds and gravel pits with old rusted chains hanging down in low curves in front of their entryways, the pits themselves as forgotten as a child's old toys with scrumgrass growing up their deserted unremembered sides. Roads that have just been forgot [8] except by the people who live on them and think of the quickest way to get off them and onto [9] the turnpike where you can pass on a hill and not fret over it. We like to joke in Maine that you can't get there from here, but maybe the joke is on us. The truth is there's about a damn thousand ways to do it and man doesn't bother [10].

---

1. **P'raps = perhaps.**
2. ⚠ **To doubt** ['daut] : v. tr. **I doubt it :** *j'en doute* ; **to doubt sb. :** *douter de quelqu'un.*
3. **I guess :** litt. *je devine.* Très employé aux US pour **I thought.**
4. Litt. *j'ai admis que ça l'était.*
5. **Ramp :** *bretelle, voie d'accès* (d'autoroute). ⚠ *Une rampe d'escalier :* **banister,** ou **handrail** ; *la rampe* (théâtre) : **floodlights** ['flʌdlaɪts] ; *rampe de lancement :* **launching pad.**
6. **All over.** Cf. **the world over :** *dans le monde entier* ; **they searched the house over :** *ils ont fouillé dans toute la maison* ; **he was trembling all over :** *de tous ses membres.*
7. Noter l'emploi adverbial de **but :** *seulement* ; **She's but a child :**

Puis la D 19 permet de contourner Augusta. Ensuite on prend la route d'Old Derry. Ça fait exactement 207,5 km. »

J'ai rien dit pendant un petit moment ; p't'êt' bien qu'elle a pensé que j'la croyais pas, car elle a dit d'un air mutin : « Je sais que c'est difficile à croire, mais c'est la vérité. »

J'ai dit que c'était sans doute exact et, en y repensant, je crois que ça l'était. En effet, je passais généralement par là pour aller voir Franklin à Bangor, quand il était encore de ce monde. Mais je n'avais pas été dans ce coin-là depuis des années. Tu crois que c'est possible de... d'oublier une route, Dave ?

J'ai dit que oui. On se laisse obnubiler par l'autoroute. Au bout d'un certain temps, on n'a plus que ça en tête : on ne songe plus à la manière de se rendre quelque part ; on cherche seulement comment rejoindre la bretelle d'autoroute la plus proche de l'endroit où on va. Et ça m'a fait penser qu'il y a partout des routes qui ne demandent qu'à ce qu'on s'en serve ; des routes bordées de murets de pierres, de vraies routes avec des mûriers sur les accotements, mais où il n'y a que les oiseaux pour manger les mûres ; des routes avec des carrières de graviers protégées à l'entrée par de vieilles chaînes rouillées qui décrivent de grandes courbes, des carrières oubliées comme de vieux jouets d'enfant, dont les flancs délaissés sont livrés au chiendent. Des routes oubliées, sauf par les gens qui y habitent et qui ne pensent qu'à les quitter au plus vite pour rejoindre l'autoroute où on peut gravir une côte sans s'énerver. Dans le Maine, on dit pour rigoler qu'on ne peut pas se rendre d'un endroit à un autre, mais peut-être que c'est nous-mêmes que cette blague concerne. En réalité, il y a des milliers de façons d'y parvenir, mais on s'en fiche.

---

ce n'est qu'une enfant ; **I can't help but think** : *je ne peux m'empêcher de penser*. Ici, **but** est une préposition qui a le même sens que **except**. **No one but me could do it** : *personne sauf moi n'était capable de le faire*. **The last house but one** : *l'avant-dernière maison*.

8. Pour **forgotten.**

9. **Onto,** à l'encontre de **into,** indique qu'on reste à la surface.

10. **To bother** ['bʌðə] : 1) v. t. *ennuyer, harceler*. **Don't bother me** : *fiche-moi la paix ; déranger*. Cf. **does it bother you if I smoke?** 2) v. i. *se donner de la peine, s'occuper*. **Don't bother about me,** ou **don't worry about me** : *ne vous en faites pas pour moi.*

Homer continued: "I grouted tile all afternoon in that hot little bathroom and she stood there in the doorway [1] all that time, one foot crossed behind the other, bare-legged, wearin loafers and a khaki-colored skirt and a sweater [2] that was some darker. Hair was drawed back [3] in a hosstail [4]. She must have been thirty-four or -five then, but her face was lit up with what she was tellin me and I swan [5] she looked like a sorority [6]girl home from school on vacation.

"After a while she musta [7] got an idea of how long she'd been there cuttin the air around her mouth [8] because she says, 'I must be boring the hell [9] out of you, Homer.'

" 'Yes'm,' I says, 'you are. I druther [10] you went away and left me to talk to this damn grout.'

" 'Don't be sma'at, Homer,' she says.

" 'No, missus, you ain't [11] borin me,' I says.

"So she smiles and then goes back to it, pagin through her little notebook like a salesman checkin his orders. She had those four main ways – well, really three because she gave up on Route 2 right away – but she must have had forty different other ways that were play-offs on those. Roads with state numbers, roads without, roads with names, roads without. My head fair spun [12] with 'em [13]. And finally she says to me, 'You ready for the blue-ribbon winner, Homer?'

" 'I guess so,' I says.

" 'At least it's the blue-ribbon winner *so far,*' she says. 'Do you know, Homer, that a man wrote an article in *Science Today* in 1923 proving that no man could run a mile in under four minutes?

---

1. *Seuil, pas de la porte,* peut se traduire par **doorway** ou **threshold.** Mais attention : **she stood in the doorway,** mais *she stood on the threshold.*
2. **Sweater** ['swetə] : de **sweat** [swet] : *la sueur.*
3. Pour **her hair was drawn back.**
4. **Hosstail** : transcr. phon. de **horsetail** (accent régional).
5. **Swan** pour **swore.** Cf. note 1, p. 128.
6. **Sorority, fraternity** [sə'rɒrɪ,tɪ ; frə'tə:nɪ'tɪ] : Clubs d'étudiants dans les universités US.
7. Pour **must have.**
8. Expr. fam. imagée. Litt. *découpant l'air avec sa bouche.*
9. Expr. fam. **The hell** *(l'enfer)* s'emploie souvent et a perdu de sa force.
10. **I druther you went away** : pop. pour **I'd rather you go** : *je préférerais que vous partiez.*

Homer a poursuivi :

— Pendant tout cet après-midi torride, j'ai collé des carrelages dans la petite salle de bains, et elle est restée plantée sur le seuil, jambes nues, un pied croisé derrière l'autre ; elle portait des mocassins, une jupe kaki et un chandail un peu plus foncé. À l'époque, elle devait avoir dans les trente-quatre, trente-cinq ans, mais en me causant elle était toute radieuse ; sans blague, on aurait dit une étudiante en vacances.

À un moment donné, elle a dû se rendre compte qu'elle blablatait depuis un bon bout de temps, car elle a dit : « Je dois vous enquiquiner, Homer. »

— « Pour sûr, m'dame, que j'fais. J'voudrais bien qu'vous partiez, comme ça j'pourrai causer avec c'te putain de colle. »

— « Faut pas me mettre en boîte, Homer. »

— « Mais non, m'dame, vous m'enquiquinez pas que j'fais. »

Alors elle revient à ses moutons en souriant et feuillette son petit calepin comme un marchand qui vérifie ses comptes. Elle avait donc ces quatre itinéraires principaux (enfin, plutôt trois, parce qu'elle avait tout de suite abandonné le deuxième) ; mais elle devait avoir une quarantaine de variantes. Des départementales numérotées ou non, des routes avec ou sans nom. Ça me donnait le tournis. Et elle finit par me dire : « Ça vous dirait de gagner le ruban bleu, Homer ? »

— « Pourquoi pas ? que j'fais. »

— « Attention, il ne s'agit que du record *actuel,* qu'elle dit. Vous savez, Homer, en 1923, on a démontré dans un article de *Science Today* qu'il était impossible de courir le mile en moins de quatre minutes.

---

11. Pour **aren't.**

12. **To spin, spun, spun :** *tourner* (comme une toupie), *tournoyer.* **The disc went spinning away over the trees :** *le disque s'envola en tournoyant au-dessus des arbres.* Autres verbes traduisant l'idée de tourner. *Tourner une manivelle :* **to wind** [waɪnd] **(wound, wound) a crank ; to wind up a watch** *(remonter une montre)* ; **to shoot a film** *(tourner un film)* ; **time is passing back** *(l'heure tourne)* ; **the earth revolves around the sun** *(la terre tourne autour du soleil)* ; **the wind has shifted** *(le vent a tourné)* ; **the milk has turned sour** [saʊə] *(le lait a tourné)* ; **to beat about the bush** [bʊʃ] *(tourner autour du pot).*

13. **With them.**

He *proved* it, with all sorts of calculations based on the maximum length of the male thigh-muscles, maximum length of stride, maximum lung capacity, maximum heart-rate, and a whole lot more. I was *taken* [1] with that article! I was so taken that I gave it to Worth and asked him to give it to Professor Murray in the math department at the University of Maine. I wanted those figures [2] checked because I was sure they must have been based on the wrong postulates, or something. Worth probably thought I was being silly – ''Ophelia's got a bee [3] in her bonnet'' is what he says – but he took them. Well, Professor Murray checked through [4] the man's figures quite carefully... and do you know *what*, Homer?'

'' 'No, missus.'

'' 'Those figures were *right*. The man's criteria [5] were *solid* [6]. He proved, back in 1923, that a man couldn't run a mile in under four minutes. He *proved* that. But people do it all the time, and do you know what that means?'

'' 'No, missus,' I said, although I had a glimmer [7].

'' 'It means that no blue ribbon is forever,' she says. 'Someday – if the world doesn't explode itself in the meantime – someone will run a *two*-minute mile in the Olympics. It may take a hundred years or a thousand, but it will happen. Because there is no ultimate blue ribbon. There is zero, and there is eternity, and there is mortality, but there is no *ultimate*.'

''And there she stood, her face clean and scrubbed and shinin, that darkish hair of hers [8] pulled back from her brow, as if to say 'Just you go ahead and disagree if you can.' But I couldn't.

---

1. Fam. Litt. *j'ai été prise (médusée) par cet article.*
2. ⚠ **Figures :** 1) *chiffre* ; 2) *silhouette. (Une figure :* **a face**). Noter la constr. Ici, on sous-entend **to be (I wanted those figures to be checked). To want** et les verbes de volonté se construisent avec prop. infinitive.
3. Litt. *a une abeille dans son bonnet.* Cf. **He's got a bat in his belfrey** (litt. *il a une chauve-souris dans son beffroi) : il a une araignée au plafond.*
4. **Check through. To check :** *vérifier* ; **through** indique ici, comme souvent, l'idée de totalité.
5. **Criterion** ['kraɪtiə,rjən] (plur. grec : **criteria**). Cf. **phenomena** [fɪ'nɔmɪ'nə].

On l'a *vraiment prouvé,* en s'appuyant sur toutes sortes de calculs fondés sur la longueur maximale d'un quadriceps d'homme, la longueur maximale d'une foulée, la capacité maximale des poumons, le rythme cardiaque maximal, et cetera, et cetera. Cet article m'a *littéralement abasourdie*. À tel point que je l'ai donné à Worth pour qu'il le montre au professeur Murray, qui a une chaire de maths à l'Université du Maine. Je voulais qu'il vérifie ces données, parce que j'avais la conviction qu'elles découlaient d'un postulat erroné et qu'il y avait quelque chose qui clochait. Worth a dû me trouver idiote ; il a dit : « Ophelia ne tourne pas rond », mais il l'a quand même emporté. Eh bien ! le professeur Murray a vérifié tous les chiffres de l'article... et vous savez la meilleure, Homer ? »

— « Non, m'dame. »

— « Ces calculs étaient *justes.* Oui, oui, ces critères étaient *en béton.* En 1923, on a prouvé qu'il était impossible de courir le mile en moins de quatre minutes. On l'a *prouvé* scientifiquement. Et pourtant, c'est un record qu'on bat tous les jours. Vous savez ce que cela signifie ?

J'm'en doutais un peu, mais j'ai dit : « Non, m'dame ».

— « Cela signifie qu'aucun ruban bleu n'est éternel, dit-elle. Un jour, si le monde n'explose pas entre-temps, un champion olympique courra le mile en deux minutes. Même si ça doit prendre cent ans ou mille ans, ça arrivera. Parce qu'il n'y a pas de record ultime. Le zéro, l'éternité, la mort, ça existe, mais pas *l'ultime.* »

Elle restait plantée là, le visage bien propre, bien astiqué, tout reluisant, et ses cheveux châtain foncé tirés en arrière, comme pour dire : « Essayez un peu de me dire le contraire ». Mais ça, j'pouvais pas.

---

6. **Solid** [solɪd] **:** *solide* mais aussi *massif ;* **solid gold :** *or massif.*
7. **Glimmer :** *lueur vacillante* (fig. **there was still a glimmer of hope) ; gleam** (*lueur* sur une surface polie : **the moon gleams on the plain**) ; **glow** (*reflets chauds, rougeoyants :* **the setting sun was glowing in the sky :** *soleil couchant*) ; **glisten** *(surface mouillée)* ; **the dew-covered grass glistens in the sunlight** *(l'herbe couverte de rosée luit sous le soleil)* ; **shimmer :** *miroitement* ; **the moonlight shimmered on the lake.**
8. **That darkish hair of hers = her darkish hair.**

Because I believe something like that. It is much like what the minister [1] means, I think, when he talks about grace.

" 'You ready [2] for the blue-ribbon winner *for now?*' she says.

" 'Ayuh,' I says, and I even stopped groutin for the time bein. I'd reached the tub anyway and there wasn't nothing [3] left but a lot of those frikkin [4] squirrelly [5] little corners. She drawed [6] a deep breath and then spieled [7] it out at me as fast as that auctioneer [8] goes over in Gates Falls when he has been putting the whiskey to himself [9], and I can't remember it all, but it went something like this."

Homer Buckland shut his eyes for a moment [10], his big hands lying perfectly still on his long thighs, his face turned up toward the sun. Then he opened his eyes again and for a moment I swan he *looked* like her, yes he did, a seventy-year-old man looking like a woman of thirty-four who was at that moment in her time looking like a college [11] girl of twenty; and I can't remember exactly what *he* said, not just because it was complex but because I was so fetched [12] by how he looked sayin it, but it went close enough like this:

" 'You set out Route 97 and then cut up Denton Street to the Old Townhouse Road and that way you get around Castle Rock downtown [13] but back to 97. Nine miles up you can go an old logger's [14] road a mile and a half to Town Road #6, which takes you to Big Anderson Road by Sites' Cider Mill [15].

---

1. **Minister :** *ministre*, y compris *ministre du culte, pasteur*.
2. Pour **Are you ready ?**
3. Double négation courante dans le parler populaire US. Pour **There wasn't anything left**.
4. **Frikkin**, pour **fucking. To fuck :** *baiser, faire l'amour.*
5. **Squirrel :** *écureuil.* **Squirrely**, adj. dérivé de **squirrel** (litt. *capable de se glisser dans les recoins comme un écureuil.*)
6. Pour **she drew**.
7. **To spiel :** *dévider.* **At** indique ici une hostilité. Cf. **he jumped at me :** *il m'a sauté dessus* ; **to laugh at sb. :** *se moquer de qqn.*
8. **Auctioneer** ['ɔ:kʃəniə]. **Auctions (sale) :** *vente aux enchères.*
9. M. à m. *il s'est mis du whisky dans lui-même.*
10. **Moment :** *instant* (plus court qu'un moment français). *Il attendit un long moment* : **he waited for a long while**.

Passe que j'suis un peu de cet avis. Quand le pasteur parle de grâce, c'est un peu du pareil au même.

— « Ça vous chante de battre le ruban bleu *actuel* ? » dit-elle.

— « Pour sûr », que j'dis ; même que j'ai arrêté de coller mes carreaux. De toute manière, j'avais atteint la baignoire et il ne restait plus qu'un tas de saloperies de recoins inaccessibles. Elle a pris sa respiration et m'a débité son baratin en parlant aussi vite que le commissaire priseur de Gates Falls quand il a un coup dans le nez. J'ai pas tout retenu, mais voilà en gros ce qu'elle a dit.

Homer Bouckland ferma un instant les yeux, ses grandes mains complètement immobiles sur ses longues cuisses et le visage tourné vers le soleil. Puis il rouvrit les yeux et, ma parole, pendant un instant, il *a ressemblé* à Ophelia ; oui, c'est comme je vous le dis : ce vieillard de soixante-dix ans ressemblait à une femme de trente-quatre ans qui, dans cette circonstance de sa vie, avait l'air d'une étudiante de vingt ans. Ce qu'*il* a dit, je ne m'en souviens pas plus précisément qu'il ne se souvenait lui-même de ce qu'*elle* avait dit. Non seulement parce que c'était compliqué, mais parce que j'étais éberlué par l'air qu'il avait en parlant. Voici en gros ce qu'il a dit :

— « On prend la Départementale 97, puis on traverse Denton Street pour gagner la route de l'Ancien Hôtel de Ville ; ça permet de retrouver la 97 en évitant le centre de Castle Rock. Quatorze kilomètres plus loin, on prend une vieille route forestière sur deux kilomètres et demi jusqu'à Town Road 6, ce qui mène à Big Anderson Road au niveau de la cidrerie des Site.

---

11. (US) **elementary school :** *école primaire* ; **high school :** *lycée, collège. Université* : 1) **college** (cycle court) ; 2) **university** (cycle long).

12. **To fetch :** *aller chercher*. **Fetched up :** pop. *intrigué*.

13. **Downtown :** (US) *centre d'une ville*.

14. **Log :** *bûche* ; **logger :** *bûcheron*. A l'origine, le **Maine** était entièrement couvert de forêts. Jusqu'au milieu du XIXe siècle, la pêche et l'abattage du bois constituaient les principales activités économiques de cet État, comme des provinces maritimes du Canada. Aujourd'hui, les routes forestières sont souvent abandonnées.

15. **Mill :** 1) *moulin* ; 2) *usine d'alimentation* ou de *filature*.

There's a cut-road the old-timers call Bear Road, and that gets you to 219. Once you're on the far side of Speckled Bird Mountain you grab[1] the Stanhouse Road, turn left onto the Bull Pine Road – there's a swampy[2] patch[3] there but you can spang right[4] through it if you get up enough speed on the gravel – and so you come out on Route 106. 106 cuts through Alton's Plantation to the Old Derry Road – and there's two or three woods roads there that you follow and so come out on Route 3 just beyond Derry Hospital. From there it's only four miles[5] to Route 2 in Etna, and so into Bangor.'

"She paused to get her breath back, then looked at me. 'Do you know how long that is[6], all told?'

" 'No'm,' I says, thinking it sounds like about a hundred and ninety miles and four bust[7] springs.

" 'It's 116.4 miles,' she says."

I laughed. The laugh was out of me before I thought I wasn't doing myself any favor If I wanted to hear this story to the end. But Homer grinned himself and nodded.

"I know. And *you* know I don't like to argue[8] with anyone, Dave. But there's a difference between having your leg pulled[9] and getting it shook like a damn apple tree.

" 'You don't believe me,' she says.

" 'Well, it's *hard* to believe, missus,' I said.

" 'Leave that grout to dry and I'll show you,' she says. 'You can finish behind the tub tomorrow. Come on, Homer. I'll leave a note for Worth – he may not be back tonight anyway – and you can call your wife!

---

1. **To grab** : litt. *faire un geste vif pour attraper qqch. ; agripper, empoigner.*
2. **Swamp** [swɔmp] : *bourbier, marécage.* **Bog** : même sens. **Marsh** : *marais.*
3. **Patch** : 1) *une pièce dans un assemblage* (Cf. **patchwork**) ; 2) *une zone réduite* ; Cf. **a patch of land** : *un lopin de terre* ; **a patch of green** : *une tache verte.*
4. **You can spang right through**. **Spang** : déformation pop. de **sprang (to spring, sprang, sprung)**. **Right** indique l'immédiateté.
5. **It's only 4 miles**. Notez l'utilisation du v. **to be** pour exprimer la distance, là où le français dit *il y a.*

Il y a un raccourci que les anciens dénomment « La Route de l'Ours » et qui mène à la 219. Une fois passé le mont de l'Oiseau Moucheté, on attrape Stanhouse Road, puis on tourne à gauche sur Bull Pine Road (il y a une fondrière dessus mais on peut sauter par-dessus en prenant suffisamment d'élan sur les graviers) ; et on débouche sur la 106. Celle-ci traverse la plantation d'Alton jusqu'à l'Old Derry Road ; on suit deux ou trois routes forestières et on rejoint la Départementale 3, juste au-delà de l'hôpital Derry. Là, on n'est plus qu'à six kilomètres de la Départementale 2 qu'on trouve à Etna, à l'entrée de Bangor.

Elle a fait une pause pour reprendre son souffle, et elle m'a regardé. « Vous savez combien de kilomètres ça fait en tout ? »

— « Non, m'dame », que j'fais, en pensant que ça devait faire dans les 300 km et quatre amortisseurs bousillés.

— « Ça fait 175,6 km », dit-elle.

J'ai rigolé. Mon rire m'a échappé et je me suis dit que ce n'était pas une bonne idée si je voulais entendre cette histoire jusqu'au bout. Mais Homer a ricané lui aussi, en hochant la tête.

— Je sais. Et toi aussi, Dave, tu sais que je n'aime pas discuter. Mais y a des limites : j'veux bien qu'on me fasse marcher, mais pas galoper.

— « Vous ne me croyez pas », qu'elle fait.

— « C'est vrai que c'est difficile à croire, m'dame », que je fais.

— « Laissez sécher cette colle, et je vais vous montrer, qu'elle dit. Vous finirez derrière la baignoire demain. Allons-y, Homer. Je vais mettre un mot à Worth (de toute façon, il ne rentrera peut-être pas ce soir), et vous n'avez qu'à appeler votre femme !

---

6. **How long that is**. Cf. note précédente. **How far is it from New York to Chicago ?** *Combien y a-t-il entre N.Y. et Chicago ?*
7. **Bust** pour **burst** (**to burst, burst, burst** : *casser, éclater*). **Spring** : *ressort*. En anglais standard, amortisseur = **shock** : *absorber*.
8. **To argue** ['ɑ:gju:] : *discuter, se disputer*. ⚠ **Argument** : 1) *argument* ; 2) *dispute*.
9. **To pull sb.'s leg** : litt. *tirer la jambe de qqn* (*faire marcher qqn*). Noter la constr. **to have** + part. passé = *faire*. **He had a house built** : *il s'est fait construire une maison* ; **I'll have you locked** : *je vais vous faire enfermer*. « **Getting it shook like an apple tree** » : **shook** pour **shaken**. **To get** + part. passé = même sens que **have**. Litt. *se faire secouer comme un pommier*.

We'll be sitting down to dinner in the Pilot's Grille [1] in' – she looks at her watch – 'two hours and forty-five minutes from right now. And if it's a minute longer, I'll buy you a bottle of Irish Mist [2] to take home with you. You see, my dad was right. Save enough miles and you'll save time, even if you have to go through every damn bog and sump [3] in Kennebec [4] County to do it. Now what do you say?'

"She was lookin at me with her brown eyes just like lamps, there was a devilish look in them that said turn your cap around back'rds, Homer, and climb aboard this hoss [5], I be first and you be second and let the devil take the hindmost [6], and there was a grin on her face that said the exact same thing, and I tell you, Dave, I wanted to *go*. I didn't even want to top [7] that damn can [8] of grout. And I *certain* sure [9] didn't want to drive that go-devil of hers. I wanted just to sit in it on the shotgun [10] side and watch her get in, see her skirt come up a little, see her pull it down over her knees or not, watch her hair shine."

He trailed [11] off and suddenly let off a sarcastic, choked laugh. That laugh of his sounded like a shotgun loaded with rock salt.

"Just call up [12] Megan and say, 'You know' Phelia Todd, that woman you're halfway to being so jealous of now you can't see straight [13] and can't ever find a good word to say about her ? Well, her and me [14] is going to make this speed-run [15] down to Bangor in that little champagne-colored go-devil Mercedes of hers, so don't wait dinner.'

---

1. **Pilot's Grille :** un restaurant de Bangor.
2. **Irish Mist :** litt. *brume irlandaise*. Marque d'un whisky ordinaire de fabrication locale.
3. **Sump :** déformation de **swamp**.
4. Le **Kennebec** est un fleuve qui coule dans le **Maine**. La région du **Kennebec** fut l'un des principaux centres d'exploitation forestière au 19e siècle.
5. **Turn... hoss :** m. à m. *retourne ta casquette à l'envers, Homer, et grimpe à bord de ce cheval.*
6. **I be first... hindmost :** fragment de comptine américaine. Litt. *je serai la première, tu seras le deuxième, et que le diable emporte le dernier.*
7. *Un couvercle* : **a lid**, ou parfois **top** en américain.

Nous serons à la Grille du Pilote pour dîner dans... (elle regarde sa montre) exactement deux heures quarante-cinq minutes. Si nous mettons une minute de plus, je vous paierai une bouteille de gnole pour ramener chez vous. Vous savez, mon père avait raison : qui gagne des kilomètres gagne du temps ; même si ça implique de traverser toutes les saloperies de bourbiers et de marécages du comté de Kennebec. Alors que décidez-vous ? »

Elle me regardait ; ses yeux luisaient comme des lanternes ; Il y avait quelque chose de diabolique dans son regard qui signifiait : retourne ta casquette, Homer, et grimpe sur ce canasson, pique nique douille c'est toi l'andouille, et elle avait un sourire narquois qui voulait dire exactement la même chose. J'aime mieux te dire que j'avais sacrément envie d'y aller, Dave. J'voulais même pas fermer c'te putain de pot de colle. C'est pas de conduire son petit bolide dont j'avais envie, ça non alors ! Je voulais simplement m'asseoir à la place du mort et la regarder monter, voir sa jupe se relever un p'tit peu, la voir la rabattre ou ne pas la rabattre sur ses genoux, et contempler ses cheveux satinés.

Il termina sa phrase d'une voix traînante, et soudain il laissa échapper un ricanement à moitié étouffé. Un rire qui ressemblait à un fusil chargé de gros sel.

— « Appelez Megan et dites-lui : « Tu connais Phelia Todd, la femme dont tu n'arrêtes pas de dire du mal parce que tu es en train de devenir à moitié jalouse d'elle et que tu ne sais plus sur quel pied danser ? Eh bien ! elle et moi, on file à Bangor dans sa Mercedes, tu sais, son petit bolide couleur champagne. Alors ne m'attends pas pour dîner. »

---

8. **Can :** *boîte métallique, boîte de conserve.* (US) **can** ; (GB) **tin**.
9. **I certain sure :** redondance populaire.
10. **Shotgun :** *fusil* (de **to shoot, shot, shot :** *tirer un coup de feu*) et **gun** (*revolver, fusil, canon*). Dans une voiture de police, le voisin du conducteur porte un fusil et peut tirer par la fenêtre.
11. **Trail :** *traîner.* **Off** indique l'idée de séparation. Dans **trailed off**, la postp. indique qu'on s'arrête de parler ; dans **let off a laugh**, **off** indique que le rire s'échappe.
12. **Call up :** *appeler au téléphone.*
13. **You're... straight :** m. à m. *vous êtes à mi-chemin d'être si jalouse que vous ne voyez pas droit.*
14. Pop. pour **she and I are going**.
15. **Speed run :** (US) *course de vitesse.*

"Just call her up [1] and say that. Oh *yes.* Oh *ayuh.*"

And he laughed again with his hands lying there on his legs just as natural as ever was and I seen [2] something in his face that was almost hateful and after a minute he took his glass of mineral water from the railing there and got outside some of it [3].

"You didn't go," I said.

"Not *then.*"

He laughed, and this laugh was gentler [4].

"She must have seen something in my face, because it as like she found herself again. She stopped looking like a sorority girl and just looked like 'Phelia Todd again. She looked down at the notebook like she didn't know what it was she had been holding and put it down by her side, almost behind her skirt [5].

"I says, 'I'd like to do just that thing, missus, but I got to finish up here, and my wife has got a roast on [6] for dinner.'

"She says, 'I understand, Homer – I just got a little carried away. I do that a lot. All the time, Worth says.' Then she kinda [7] straightened up and says, 'But the offer holds, any time you want to go. You can even throw your shoulder [8] to the back end if we get stuck somewhere. Might [9] save me five dollars.' And she laughed.

" I'll take you up on it, missus,' I says, and she seen [10] that I meant what I said and wasn't just being polite.

" 'And before you just go believing [11] that a hundred and sixteen miles to Bangor is out of the question, get out your own map and see how many miles it would be as the crow flies [12].'

---

1. S.e. **I : I'll just call her up.**
2. Pour **I saw.**
3. **Got outside some of it :** litt. *en fit sortir un peu.* Noter les nombreuses expressions imagées et concrètes du parler populaire US.
4. ⚠ **Gentle :** *doux.* **A gentle person :** *aimable* ; **a gentle slope :** *une pente douce.* Cf. **sweet :** *doux* (personne, parfum, goût sucré) ; **soft** (doux au toucher) ; **meek :** *doux, humble* ; **as meek as a lamb :** *doux comme un agneau.*
5. **Put... skirt.** La formulation prête à confusion. On pourrait comprendre que Phelia pose le calepin à côté d'elle mais, comme elle est debout, il faut sans doute comprendre qu'elle le cache presque derrière elle.

— « Ouais. *Ouais.* J'l'appelle pour lui dire ça. »

Il s'est remis à rire, les mains posées sur ses jambes, l'air parfaitement naturel, et une expression quasi haineuse est passée sur son visage ; au bout d'une minute, il a pris son verre sur la balustrade et bu une lampée d'eau minérale.

— Tu y es pas allé, qu'j'ai fait.

— Pas *cette fois-là.*

Il a ri, mais de manière moins crispée.

— Elle a dû voir quelque chose sur mon visage, car elle s'est reprise. Elle a cessé de ressembler à une étudiante pour redevenir Phelia Tood. Elle a regardé le calepin comme si elle savait pas ce qu'elle tenait à la main et elle l'a posé à côté d'elle, presque derrière sa jupe.

Alors je dis : « Sûr que ça me plairait bien, m'dame ; mais faut que je termine la salle de bains, et ma femme a mis un rôti au four pour le souper. »

Elle fait : « Je comprends, Homer. Je me suis un peu enflammée. Ça m'arrive souvent. Même tout le temps, selon Worth. » Puis elle fait en se redressant : « Mais je maintiens ma proposition, quand vous voudrez. Vous pourrez même pousser la voiture si nous nous embourbons ; ça m'économisera peut-être cinq dollars. » Et elle a ri.

— « J'vous prendrai au mot, m'dame », que j'fais, et elle a bien vu que j'étais sincère et que j'disais pas ça par simple politesse.

— « Et si vous croyez qu'il n'y a pas moyen de trouver un itinéraire de 175 km pour aller à Bangor, allez donc voir sur votre carte quelle distance ça ferait à vol d'oiseau. »

---

6. La postposition indique qu'une action est entamée et en train de s'accomplir.
7. **Kinda** = **kind of.** N'ajoute rien au sens.
8. **Throw your shoulder to the back** : litt. *vous pourrez lancer votre épaule* (pousser avec l'épaule) *à l'arrière* (de la voiture).
9. Pour **It might** (éventualité indiquée par le défectif **may, might**).
10. Pour **she saw.**
11. **You just go believing** : constr. pop.
12. **As the crow flies** : litt. *comme la corneille vole.* **Crow** [krau] : *corneille* ; **raven** : *corbeau* ; **rook** [rʊk] : *freux.*

"I finished the tiles and went home and ate leftovers – there wa'n't no roast [1], and I think 'Phelia Todd knew it – and after Megan was in bed, I got out my yardstick and a pen and my Mobil map [2] of the state, and I did what she had told me.. because it had laid hold of my mind [3] a bit, you see. I drew a straight line and did out the calculations accordin to the scale of miles. I was some [4] surprised. Because if you went from Castle Rock up there to Bangor like one of those little Piper Cubs [5] could fly on a clear day – if you didn't have to mind lakes, or stretches of lumber company woods that was chained off [6], or bogs, or crossing rivers where there wasn't no bridges, why [7], it would just be seventy-nine miles, give or take [8]."

I jumped a little.

"Measure it yourself, if you don't believe me," Homer said. "I never knew Maine was so small until I seen that."

He had himself a drink and then looked around at me.

"There come [9] a time the next spring when Megan was away in New Hampshire [10] visiting with her brother. I had to go down to the Todd's house to take off the storm doors [11] and put on the screens, and her little Mercedes go-devil was there. She was down by herself [12].

"She come to the door and says: 'Homer! Have you come to put on [13] the screen doors?'

"And right off [14] I says: 'No, missus, I come to see if you want to give me a ride [15] down to Bangor the short way.'

"Well, she looked at me with no expression on her face at all, and I thought she had forgotten all about it.

---

1. Pour **there wasn't any roast.**
2. **My Mobil map.** Cf. note 12, p. 141. Carte routière délivrée dans les stations Mobil.
3. **It had laid hold of my mind :** litt. *cela s'était emparé de mon esprit.*
4. **Some** pour **somewhat** (fréquent aux US).
5. **Piper Cubs :** petit avion de tourisme. **Cub :** *le petit d'un mammifère* ; **a lion's cub :** *un lionceau.*
6. **Stretches... chained off. Lumber :** *bois de construction.* Les compagnies d'exploitation forestière interdisent l'accès aux zones qui leur appartiennent.
7. 2e sens de **why :** *eh bien !*

— J'ai fini mon carrelage et je suis rentré chez moi manger des restes. (Y avait pas de rôti, et j'ai idée que Phelia Todd l'avait deviné.) Et quand Megan est allée se coucher, j'ai pris un mètre, un stylo, une carte Mobil du Maine, et j'ai fait ce qu'elle m'avait dit... vois-tu, ça n'avait pas cessé de me trotter dans la tête. J'ai tracé une ligne droite et mesuré selon l'échelle kilométrique. J'en suis resté baba : pour aller de Castle Rock à Bangor en passant par le ciel comme un avion Piper par temps clair, en faisant abstraction des lacs, des bois clôturés par les compagnies d'exploitation forestière, des marécages, ou des détours pour trouver un pont, eh bien ! ça faisait exactement 126 km. C'est comme j'te le dis.

J'ai eu un léger mouvement de surprise.

— Vérifie, si tu m'crois pas, dit Homer. Avant de voir ça, j'm'étais jamais rendu compte que le Maine était si petit.

Il a avalé un peu d'eau et s'est tourné vers moi.

— Un beau jour, au printemps suivant, Megan est partie voir son frère dans le New Hampshire. Fallait que j'aille chez les Todd pour remplacer les contrevents par des persiennes et v'là que je tombe sur la petite Mercedes. Phelia était seule.

Elle vient ouvrir et dit : « Homer ! Vous êtes venu poser les persiennes ? »

Et moi, j'réponds du tac au tac : « Non, m'dame, j'viens voir si vous voulez m'emmener à Bangor par le raccourci. »

Elle m'a regardé sans réagir, et je m'suis dit que toute cette histoire lui était sortie de la tête.

---

8. **Give or take** : langage du jeu. Litt. *à prendre ou à laisser*, mais aussi *quitte ou double*.
9. Pour **comes**.
10. **New Hampshire** : État limitrophe du **Maine**.
11. **Storm doors** : litt., *les portes contre les tempêtes* ; **screen** : *écran* ; **store** : *volet* (plus léger que **storm doors**, que l'on ne ferme que l'hiver).
12. **Down by herself** = **alone**.
13. Noter le sens de **on**. Cf. **to put on a coat**.
14. **Right off**, ou **right away** : *tout de suite*.
15. **To ride** : *monter à cheval*, ou par ext. *en voiture*. **Give me a ride** : *conduisez-moi*.

I felt my face gettin red, the way it will[1] when you feel you just pulled one hell of a boner[2]. Then, just when I was getting ready to 'pologize[3], her face busts into[4] that grin again and she says, 'You just stand right there while I get my keys. And don't change your mind, Homer!'

"She come back a minute later with 'em in her hand. 'If we get stuck, you'll see mosquitoes[5] just about the size of dragonflies.'

" 'I've seen 'em[6] as big as English sparrows up in Rangely, missus,' I said, 'and I guess we're both a spot too heavy[7] to be carried off.'

"She laughs. 'Well, I warned you, anyway. Come on, Homer.'

" 'And if we ain't there in two hours and forty-five minutes,' I says, kinda sly[8], 'you was gonna[9] buy me a bottle of Irish Mist.'

"She looks at me kinda surprised, the driver's door of the go-devil open and one foot inside. 'Hell, Homer,' she says, 'I told you that was the Blue Ribbon for *then*. I've found a way up there that's *shorter*. We'll be there in two and a half hours[10]. Get in here, Homer. We are going to roll.' "

He paused again, hands lying calm on his thighs, his eyes dulling, perhaps seeing that champagne-colored two-seater heading up the Todds' steep driveway.

"She stood the car still[11] at the end[12] of it and says, 'You sure?'

" 'Let her rip[13],' I says. The ball bearing me her ankle rolled and that heavy foot come down[14].

---

1. **Will** : forme fréquentative au présent.
2. **Pulled one hell of a boner.** Expr. argotique surtout employée aux US. On dit plus couramment **to blunder**, ou **to make a blunder** *(faire une gaffe).*
3. **'pologize.** L'accent tonique mange littéralement la syllabe non accentuée. **To apologize** [ə'pɔlə,dʒaɪz] : *s'excuser.*
4. Pour **bursts into. Into** indique ici l'idée de transformation. **The witch turned the apple into a mouse** : *la sorcière transforma la pomme en souris.*
5. [məs'kɪ:təʊ].
6. Pour **I've seen some.**
7. **A spot too heavy** : fam. pour **a little too heavy**.

Je m'suis senti rougir, comme quand on se rend compte qu'on vient de faire une grosse gaffe. Et puis, juste au moment où j'allais m'escuser, son visage s'éclaircit et elle dit : « Ne bougez pas, je vais chercher mes clefs. Et surtout, ne changez pas d'avis, Homer ! »

Une minute après, elle revient, les clefs à la main. « Si nous nous plantons, vous verrez des moustiques gros comme des libellules. »

— « J'en ai vu des gros comme des moineaux à Rangely, m'dame, et m'est avis que nous sommes tous les deux un chouïa trop lourds pour nous faire enlever. »

— Elle rit. « En tout cas, je vous aurai prévenu, Homer. »

— « Et si nous ne sommes point rendus en deux heures quarante-cinq minutes », que j'fais d'un ton espiègle, « vous devrez m'payer une bouteille de gnole. »

Elle avait ouvert sa portière, et elle me regarda avec surprise, un pied à l'intérieur du petit bolide. « Voyons, Homer, qu'elle fait, je vous ai dit que c'était le ruban bleu de l'*époque*. J'ai trouvé un chemin *plus court*. Nous arriverons en une heure et demie. Montez, Homer. On démarre. »

Il fit une nouvelle pause, les mains tranquillement posées sur les cuisses. Un voile passa sur ses yeux (peut-être revoyait-il le cabriolet champagne gravissant l'allée du jardin des Todd ?)

— Elle a stoppé au bout de l'allée et dit : « Vous êtes bien décidé ? »

— « Allez-y, foncez ! » que j'fais. Le roulement à billes de sa cheville s'est déclenché et elle a enfoncé le pied sur le champignon.

---

8. **Sly :** *rusé, sournois, espiègle.*
9. **You was gonna :** prononciation fréquente aux US pour **you were going to.**
10. Ou **two hours and a half.**
11. **Still :** *tranquille, immobile.* **He stands still :** *il reste immobile.* Noter la malléabilité de l'anglais capable de forger une expression en attribuant un c.o.d. (**the car**) au verbe **to stand**, théoriquement intransitif.
12. **End :** 1) *fin* (dans le temps) ; 2) *bout, extrémité* (dans l'espace).
13. **To rip :** *déchirer violemment, fendre.* Par ext., idée de vitesse *(fendre l'air).* **The car rips along :** *roule à toute vitesse.*
14. Litt. *le pied lourd s'est abaissé.*

I can't tell you nothing much about whatall[1] happened after that. Except after a while I couldn't hardly[2] take my eyes off her[3]. There was somethin wild that crep[4] into her face, Dave – something *wild* and something *free*, and it frightened my heart. She was beautiful, and I was took[5] with love *for* her, anyone would have been, any man, anyway, and maybe any woman too, but I was scairt[6] *of* her too, because she looked like she could[7] kill you if her eye left the road and fell on you and she decided to love you back. She was wearin blue jeans and a old white shirt with the sleeves rolled up – I had a idea she was maybe fixin[8] to paint somethin on the back deck[9] when I came by – but after we had been goin for a while seemed like she was dressed in nothin but all this white billowy stuff like a pitcher[10] in one of those old gods-and-goddesses books."

He thought, looking out across the lake[11], his face very somber.

"Like the huntress that was supposed to drive the moon across the sky."

"Diana?"

"Ayuh. Moon[12] was her go-devil. 'Phelia looked like that to me and I just tell you fair out that I was stricken[13] in love for her and never would have made a move, even though I was some younger[14] then than I am now. I would not have made a move even had I been twenty, although I suppose I might of[15] at sixteen, and been killed for it – killed if she looked at me was the way it felt[16].

---

1. **Whatall :** fam. pour **all that** *(tout ce qui).*
2. **Hardly** est un adv. négatif. Comme souvent, la grammaire de Homer est impropre. Il devrait dire : **I could hardly.**
3. Litt. : *détacher mes yeux d'elle.*
4. **Crep** pour **crept (to creep, crept, crept) :** *ramper, s'immiscer.*
5. **I was took** (pour **taken**). **With love for her :** pop. pour **I fell in love with her.**
6. **Scairt :** transcr. phon. de **scared** [skeɪd] (accent régional).
7. Pour **looked as if she could.**
8. **To fix :** *réparer.*
9. **Deck :** *pont* (d'un bateau) ; *plate-forme* (d'un véhicule) ; US : **terrasse.**

La suite, j'ai pas grand-chose à en dire. Sauf qu'au bout d'un moment, j'avais les yeux rivés sur elle. Son visage avait pris une expression farouche, Dave... *farouche* et *libérée*, et ça m'a fait froid dans le dos. Elle était belle, et j'suis tombé amoureux d'elle : ça serait arrivé à n'importe quel homme ; oui, à n'importe quel homme, et p't'être bien à n'importe quelle femme ; mais en même temps, elle me fichait la frousse, parce qu'en la voyant, on se disait qu'on risquait de se tuer si jamais elle lâchait la route des yeux pour vous répondre et décidait de vous aimer en retour. Elle était en blue-jean et elle avait retroussé les manches de sa vieille chemise blanche (je m'suis dit qu'à mon arrivée, elle était p't'être en train de repeindre quelque chose sur la terrasse du fond) ; mais au bout de quelques kilomètres, elle ne me paraissait plus vêtue que de ce truc ondoyant qu'on voit sur les images des vieux bouquins consacrés aux dieux et aux déesses.

Il réfléchit, l'air très sombre, le regard perdu sur le lac.

— Comme la chasseresse qui était censée traverser le ciel sur le char de la lune.

— Diane ?

— Ouais. Son petit bolide, c'était la lune. C'est ainsi que m'apparaissait Phelia ; je t'avoue franchement que j'étais follement amoureux d'elle, mais j'aurais pas fait un geste, bien que je fusse beaucoup plus jeune à l'époque. J'aurais pas fait un geste même si j'avais eu vingt ans (à seize ans j'dis pas), parce que ça m'aurait fait tuer : on se serait tués si elle m'avait regardé avec la même intensité.

---

10. **Pitcher** : transcr. phon. de **picture** ['pıktʃə] (accent régional).
11. **Looking out across the lake.** Tout le sens est contenu dans la postposition et la préposition. **Hal** ne regarde pas le lac, mais de l'autre côté du lac ; en réalité, il regarde sans regarder.
12. Pour **the moon.**
13. **To strike, struck, struck** : *frapper*. On utilise encore parfois le participe passé archaïque dans certaines campagnes et dans quelques expressions comme **awe stricken** *(frappé de terreur).*
14. Pour **somewhat younger.**
15. Transcr. phon. de **might have** (accent régional).
16. Litt. *de la manière dont cela se faisait sentir.*

"She was like that woman drivin the moon across the sky, halfway up over the splashboard [1] with her gossamer [2] stoles all flyin out behind her in silver cobwebs [3] and her hair streamin back to show the dark little hollows of her temples, lashin those horses and tellin me to get along faster and never mind how they blowed [4], just faster, faster, *faster.*

"We went down a lot of woods roads – the first [5] two or three I knew, and after that I didn't know none of them [6]. We must have been a sight [7] to those trees that had never seen nothing with a motor in it before but big old pulp [8]-trucks and snowmobiles; that little go-devil that would most likely have looked more at home on the Sunset Boulevard [9] than shooting [10] through those woods, spitting and bulling its way up one hill and then slamming down the next through those dusty green bars of afternoon sunlight – she had the top down and I could smell everything in those woods, and you know what an old fine smell that is, like something which has been mostly left alone and is not much troubled. We went on across corduroy [11] which had been laid over some of the boggiest parts, and black mud squelched up between some of those cut logs and she laughed like a kid. Some of the logs was old and rotted [12], because there hadn't been nobody down a couple of those roads – except for her, that is – in I'm going to say five or ten years. We was *alone*, except for the birds and whatever animals seen us. The sound of that go-devil's engine, first buzzin along [13] and then windin up high and fierce when she punched in the clutch [14] and shifted down... that was the only motor-sound I could hear.

---

1. Litt. *la moitié du corps au-dessus du garde-boue.*
2. **Gossamer** : *fil de la Vierge* ; **stole** : *étole, écharpe.*
3. **Cobweb,** ou **spider's web** : *toile d'araignée.*
4. **Never mind how they blowed** (pour **blew**) : litt. *peu importe comment ils soufflaient.*
5. Noter la constr. de **first** et **last** (anciens superlatifs). **The last / first five people** : *les cinq dernières / premières personnes.*
6. Pour **any of them.**
7. **Sight** : 1) *vue* ; 2) *spectacle.*
8. **Pulp** : *pâte à papier.* À partir de la deuxième moitié du XIXe siècle, l'industrie du papier a joué un rôle prédominant dans l'exploitation des forêts.

— Elle ressemblait à cette femme qui traversait le ciel, le buste dressé sur le char de la lune, tous ses voiles de gaze déployés derrière elle comme un tissage arachnéen de fils de la Vierge, les cheveux flottant au vent et dégageant le petit creux noir de ses tempes ; à cette femme qui cravachait ses chevaux en me disant d'accélérer, bien qu'ils fussent à bout de souffle, d'accélérer, d'accélérer, *d'accélérer*.

Nous avons parcouru des tas de routes forestières (j'connaissais les deux ou trois premières, mais ensuite j'les connaissais plus du tout). Nous avons dû offrir un sacré spectacle à ces arbres qui n'avaient jamais vu d'engins motorisés, à part les chenillettes et les gros camions des usines de pâte à papier ; le petit bolide aurait été mieux à sa place sur Sunset Boulevard que dans ces bois où il filait, gravissant une côte en écumant comme un taureau avant de dévaler la suivante parmi les rayons verts et poudreux du soleil de l'après-midi. Phelia avait décapoté la voiture, et je savourais toutes les odeurs de la forêt. Tu la connais, c'te bonne vieille odeur : on dirait une chose longtemps demeurée solitaire et qu'on ne dérange guère. Nous sommes passés sur des rondins étalés sur les portions les plus marécageuses du chemin ; de la boue noire giclait parfois entre les gros troncs abattus et elle riait comme une gamine. Y en avait qu'étaient vieux et pourris parce que (en dehors d'elle, s'entend) personne n'avait plus emprunté certaines de ces routes depuis cinq ou six ans. Nous étions *seuls*, à part les oiseaux et divers animaux qui nous reluquaient. On n'entendait aucun bruit de moteur à part le ronflement du petit bolide qui se mettait à vrombir à toute force quand Phelia enclenchait les vitesses pour rétrograder.

---

9. **Sunset Boulevard** : le célèbre boulevard de **Hollywood** et **Beverley Hills**, quartiers chics de **Los Angeles.**
10. **To shoot** : *tirer un coup de feu* peut traduire l'idée de vitesse *(filer, foncer)*.
11. **Corduroy** : du français *corde du roi : velours côtelé*. Ici, sens particulier : les rondins assemblés côte à côte sur le sol évoquent la surface du velours côtelé.
12. **Rotted** pour **rotten** : *pourri*.
13. **Buzzing along** : litt. *qui avançait en vibrant*.
14. **Clutch** : 1) *prise* ; 2) *changement de vitesse*. **To shift (up ou down)** : *changer de vitesse* ; **to shift in** : *embrayer*.

And although I knew we had to be close to *someplace* all the time – I mean, these [1] days you always are – I started to feel like we had gone back in time, and there wasn't *nothing*. That if we stopped and I climbed a high tree, I wouldn't see nothing in any direction but woods and woods and more woods. And all the time she's just *hammering* [2] that thing along, her hair all out behind her, smilin, her eyes flashin [3]. So we come out on the Speckled Bird Mountain Road and for a while I known [4] where we were again, and then she turned off and for just a little bit I *thought* I knew, and then I didn't even bother to kid [5] myself no more. We went cut-slam down another woods road, and then we come out – I swear it – on an nice paved road with a sign that said MOTORWAY B [6]. You ever heard [7] of a road in the state of Maine that was called MOTORWAY B?"

"No," I says, "Sounds English."

"Ayuh. *Looked* English. These trees like willows overhung [8] the road. 'Now watch out [9] here, Homer,' she says, 'one of those nearly grabbed me a month ago and gave me an Indian burn.'

"I didn't know what she was talkin about and started to say so, and then I seen [10] that even though there was no wind, the branches of those trees was dippin [11] down – they was *waverin* [12] down. They looked black and wet inside the fuzz of green on them. I couldn't believe what I was seein. Then one of em [13] snatched [14] off my cap and I knew I wasn't asleep. 'Hi!' I shouts. 'Give that back!'

" 'Too late now, Homer,' she says, and laughs. 'There's daylight, just up ahead... we're okay.'

---

1. **This, these :** indiquent la proximité ; ≠ **that, those** (éloignement). **These days :** *de nos jours* ; **in those days :** *dans ce temps-là.*
2. **Hammer :** *marteau* ; **to hammer :** *marteler.* Homer suggère que Phelia fait avancer sa voiture avec violence.
3. **A flash of lightning :** *un éclair.* **Flashlights :** *clignotants.*
4. Pour **I knew.**
5. **To kid :** *mener en bateau.* **No kidding :** *sans blague !*
6. **Motorway :** *autoroute* (en anglais britannique). Cf. note 1, p. 144.

J'savais que nous devions toujours nous trouver à proximité *d'une localité* (de nos jours, c'est toujours le cas) et, pourtant, je commençais à avoir l'impression que nous étions remontés dans le temps, et qu'il n'y avait *rien* ; que, si nous nous arrêtions et que je grimpais tout en haut d'un arbre, je ne verrais à la ronde que des bois, des bois et des bois. Et tout ce temps-là, elle *fonce* à tout barzingue, la chevelure déployée derrière elle et les yeux étincelants. Nous débouchons sur la route du mont de l'Oiseau Moucheté et, pendant quelque temps, je m'suis de nouveau repéré ; et puis elle a obliqué et, au début, j'ai cru m'y reconnaître, mais j'ai vite renoncé à me faire des illusions. Nous avons coupé à tombeau ouvert par une autre route forestière, et, palsambleu, voilà que nous nous retrouvons sur une bonne route pavée avec un panneau indiquant MOTORWAY B. T'as déjà entendu parler d'une route dénommée MOTORWAY B dans l'État du Maine ?

— Non, que j'fais. On dirait de l'anglais britannique.

— Ouais. Et on *se serait cru* en Angleterre. Y avait des espèces de saules qui surplombaient cette route. « Prenez garde, Homer, qu'elle fait ; il y a un mois, j'ai failli me faire agripper par une de ces branches et j'ai eu la peau toute rouge. »

J'savais pas de quoi elle causait mais au moment où je commençais à le lui dire, j'ai vu que, malgré l'absence de vent, ces branches s'abaissaient ; elles s'inclinaient en ondulant. À l'intérieur, derrière le fouillis de verdure, il semblait faire sombre et humide. J'en croyais pas mes yeux. Et puis y en a une qui m'a arraché ma casquette et j'ai compris que c'était pas un rêve. « Hé là ! que j'm'écrie. Rends-moi ça ! »

— « Trop tard, Homer, qu'elle fait en riant. On voit du jour là-haut... Il n'y a pas de problème. »

---

7. Pour **have you ever heard.**
8. **To overhang :** *surplomber.*
9. **Watch out :** *fais attention.*
10. Pour **I saw.**
11. **A dip :** *un creux.* **To dip down :** *s'abaisser.*
12. **To waver :** 1) *chanceler, trembloter* ; 2) *hésiter.*
13. Pour **them.**
14. **To snatch :** *saisir d'un geste rapide.*

Then another one of em comes down, on her side this time, and snatches at her[1] – I swear it did. She ducked[2], and it caught in her hair and pulled a lock of it out. 'Ouch[3], dammit[4] that *hurts!*' she yells, but she was laughin, too. The car swerved a little when she ducked and I got a look into the woods and holy God, Dave! *Everythin* in there was movin. There was grasses wavin and plants that was all knotted together so it seemed like they made faces[5], and I seen somethin sittin in a squat[6] on top of a stump, and it looked like a tree-toad, only it was as big as a full-growed[7] cat.

"Then we come out of the shade to the top of a hill and she says, 'There! That was exciting[8], wasn't it?' as if she was talkin about no more than a walk through the Haunted House at the Fryeburg Fair.

"About five minutes later we swung[9] onto another of her woods roads. I didn't want no more woods right then – I can tell you that for sure – but these were just plain[10] old woods. Half an hour after that, we was pulling[11] into the parking lot of the Pilot's Grille in Bangor. She points to that little odometer for trips and says, 'Take a gander[12], Homer.' I did, and it said 111.6. 'What do you think now? Do you believe in my shortcut?'

"That wild look had mostly faded[13] out of her, and she was just 'Phelia Todd again. But that other look wasn't entirely gone. It was like she was two women, 'Phelia and Diana, and the part of her that was Diana was so much in control when she was driving the back roads that the part that was 'Phelia didn't have no idea that her shortcut was taking her through places... places that ain't on any map of Maine, not even on those survey-squares.

---

1. **Snatches at her : at** traduit l'idée de tentative.
2. **A duck :** *un canard.* **To duck :** *baisser la tête* (comme un canard) *pour esquiver.*
3. **Ouch** [aʊtʃ] : onomatopée pour *aïe.*
4. Pour **damn it** (litt. *damnation*).
5. **To make faces :** *faire des grimaces.* **Knotted together so it seemed like it made faces :** litt. *nouées ensemble de telle manière qu'on aurait dit qu'il faisait des grimaces.*
6. **To squat** [skwɔt] : *s'accroupir,* ou *être accroupi.*
7. Pour **grown (to grow, grew, grown).**

— Ensuite y en a une qui descend du côté de Phelia, et qui cherche à l'attraper. J'te jure que c'est la vérité. Elle a courbé la tête et la branche s'est accrochée dans ses cheveux et lui a arraché une boucle. « Aïe ! Nom d'un chien ! *Ça fait mal !* » s'écrie-t-elle en riant. Quand elle a baissé la tête, la voiture a fait une petite embardée : j'ai regardé à l'intérieur des bois. Grand Dieu, Dave ! *Tout* bougeait là-dedans. Y avait de l'herbe qui ondoyait et des plantes si imbriquées les unes dans les autres qu'elles semblaient faire des grimaces ; et j'ai aperçu quelque chose d'accroupi sur une souche, une sorte de crapaud gros comme un chat adulte.

Puis, en grimpant une côte, nous sommes sortis de l'ombre et elle fait : « Voilà ! On s'est bien amusé, non ? », comme s'il s'était agi d'une balade dans la Maison Hantée à la foire de Fryeburg.

Environ cinq minutes plus tard, nous avons de nouveau obliqué sur une de ses routes forestières. À ce moment-là, j'te garantis que les bois, j'en avais ma dose, mais ce n'étaient que des bois normaux. Une demi-heure après, nous arrivions à Bangor, dans le parking de la Grille du Pilote. Elle montre le petit odomètre et dit : « Visez un peu, Homer. » J'ai regardé et ça marquait 178,9. « Que dites-vous de mon raccourci ? Vous êtes convaincu, maintenant ? »

Son air farouche s'était peu à peu estompé, et elle était redevenue Phelia Todd. Mais il restait des traces de cet autre personnage. C'était comme si elle était deux femmes, Phelia et Diane, et la partie Diane était si prédominante sur les routes écartées que la partie Phelia ne se rendait pas compte que son raccourci l'entraînait dans des endroits qui ne figurent sur aucune carte du Maine, pas même les cartes d'état-major.

---

8. **Exciting :** *passionnant* (livre, film), *saisissant.*
9. **To swing, swang, swung :** 1) *se balancer* ; 2) *tourner rapidement.* **A swing :** *une balançoire.*
10. **Plain :** 1) *clair, évident.* **Plain talk :** *propos sans équivoque.* 2) *simple, normal :* **plain food, plain living.**
11. **To pull in :** *s'arrêter* (en voiture).
12. **Gander :** argot US = *un coup d'œil.*
13. **To fade :** *s'évanouir, s'estomper, se faner.* **The daylight was fading :** *le jour baissait* ; **the car faded from sight :** *disparut aux regards.*

"She says again, 'What do you think of my shortcut, Homer?'

"And I says the first thing to come into my mind, which ain't something you'd usually say to a lady [1] like 'Phelia Todd. 'It's a real piss-cutter, missus,' I says.

"She laughs, just as pleased as punch, and I seen [2] it then, just as clear as glass [3]: She didn't remember none of the funny stuff [4]. Not the willow-branches – except they weren't willows, not at all, not really anything like em [5], or anything else – that grabbed off m'hat [6], not that MOTORWAY B sign, or that awful [7]-lookin toad-thing. *She didn't remember none [8] of that funny stuff!* Either I had dreamed [9] it was there or she had dreamed it wasn't. All I knew for sure, Dave, was that we had rolled only a hundred and eleven miles and gotten [10] to Bangor, and that wasn't no daydream [11]; it was right there on the little go-devil's odometer, in black and white.

" 'Well, it is,' she says. 'It *is* a piss-cutter. I only wish [12] I could get Worth to give it a go sometime... but he'll never get out of his rut unless someone blasts [13] him out of it, and it would probably take a Titan II missile [14] to do that, because I believe he has built himself a fallout shelter at the bottom of that rut. Come on in, Homer, and let's dump [15] some dinner into you.'

"And she bought me one hell of a dinner, Dave, but I couldn't eat very much of it. I kep thinkin about what the ride back might be like, now that it was drawing down dark [16]. Then, about halfway through the meal [17], she excused herself and made a telephone call.

---

1. **Lady :** *dame* d'une classe élevée. On constate que **Phelia** n'appartient pas à la même classe sociale que **Homer** à la manière dont elle parle (anglais plus proche de l'anglais standard, moins de distorsions grammaticales ou phonétiques).
2. Pour **I saw**.
3. Litt. *Alors j'ai vu quelque chose de transparent comme du verre.*
4. **Stuff :** 1) *truc, machin* ; 2) **to stuff :** *rembourrer*. Cf. **stuffing :** *rembourrage* ; **a stuffed turkey :** *une dinde farcie*.
5. **em = them**.
6. Pour **my hat**.
7. **Awful** conserve parfois son sens fort. De **awe :** *terreur quasi religieuse, surnaturelle*. **Awe struck :** *frappé de terreur.*

— Elle répète : « Que dites-vous de mon raccourci, Homer ? »

Et j'réponds la première chose qui me traverse l'esprit, une chose qui ne se dit pas à une dame comme il faut : « De quoi vous couper l'envie de pisser, m'dame. »

Elle éclate de joie en riant, et brusquement ça m'a sauté aux yeux : elle ne se souvenait pas de tous les trucs bizarres. Ni des branches de saule (sauf que c'étaient pas du tout des saules, ça ressemblait à rien) qui m'avaient arraché ma casquette, ni du panneau du MOTORWAY B, ni de cette horrible créature en forme de crapaud. *Elle ne se souvenait pas de tous les trucs bizarres !* Ou bien je les avais vus en rêve, ou bien elle avait rêvé qu'il n'y en avait pas eu. Ma seule certitude, Dave, c'est que nous n'avions parcouru que 179 km pour arriver à Bangor, et que c'était pas le fruit de mon imagination ; ça figurait en noir sur blanc sur l'odomètre du petit bolide.

— « Tout juste, qu'elle fait. De quoi vous couper l'envie de pisser. J'aimerais bien y emmener Worth un de ces jours... mais pour l'arracher à ses ornières il faudrait une explosion, et comme je crois qu'il s'est construit un abri antiatomique au fond de ses ornières, on aura besoin d'au moins un missile Titan II. Entrons, Homer, il faut vous mettre quelque chose dans le ventre. »

Elle m'a payé un repas royal, Dave, mais j'ai pas réussi à beaucoup manger. J'pouvais pas m'empêcher de penser au retour avec appréhension, maintenant que la nuit tombait. Et puis, vers le milieu du repas, elle est allée téléphoner en s'excusant.

---

8. Pour **any**.
9. Pour **dreamt : to dream, dreamt, dreamt** [dremt].
10. **Gotten** : part. passé archaïque pour **got**. **To get** peut signifier *arriver, parvenir*.
11. **Daydream** : *rêverie, rêve éveillé*. Cf. **to muse** : *rêvasser*.
12. **Wish** + subj. marqué par **could**.
13. **To blast** : *faire exploser*.
14. **Missile** ['mɪsɪlɪ].
15. **To dump** : *déposer, jeter, bazarder*. **No dumping** : *décharge interdite*.
16. Fam. (US) pour **night was falling**.
17. Litt. *A mi-chemin de la fin du repas*.

When she came back she ast me if I would mind [1] drivin the go-devil back to Castle Rock for her. She said she had talked to some woman who was on the same school committee [2] as her, and the woman said they had some kind of problem about somethin or other. She said she'd grab [3] herself a Hertz car if Worth couldn't see her back down. 'Do you mind awfully driving back in the dark?' she ast me.

"She looked at me, kinda [4] smilin, and I knew she remembered *some* of it all right – Christ [5] knows how much, but she remembered enough to know I wouldn't want to try her way after dark, if ever at all... although I seen [6] by the light in her eyes that it wouldn't have bothered her a bit [7].

"So I said it wouldn't bother me, and I finished my meal better than when I started it. It was drawin down dark by the time we was done [8], and she run [9] us over to the house of the woman she'd called. And when she gets out she looks at me with that same light in her eyes and says, 'Now, you're *sure* you don't want to wait, Homer? I saw a couple [10] of side roads just today, and although I can't find them on my maps, I think they might chop [11] a few miles.'

"I says, 'Well, missus, I would, but at my age the best bed to sleep in is my own, I've found. I'll take your car back and never put a ding in her [12]... although I guess I'll probably put on some more miles than you did.'

"Then she laughed [13], kind of soft, and she give me a kiss. That was the best kiss I ever had in my whole life, Dave. It was just on the cheek, and it was the chaste [14] kiss of a married woman, but it was as ripe as a peach, or like those flowers that open in the dark, and when her lips touched my skin I felt like...

---

1. **To mind** + part. présent. Cf. **Do you mind my smoking ?** *Ça vous gêne que je fume ?* **I don't mind :** *ça m'est égal.*
2. **Committee** [kə'mɪtɪ].
3. **Grab :** *prendre en vitesse.* Ici tournure familière. Cf. **to grab the bus :** *attraper l'autobus.*
4. **Kinda** = **kind of**.
5. **Christ** [kraɪst].
6. **I seen** (pour **saw**) **by the light :** noter l'utilisation de **by** (selon, à la lumière).
7. **Bit :** *morceau.* **Not a bit :** *pas du tout* (**not at all**).
8. **By the time we was done :** fam. pour **by the time we had finished**, ou **by the time we were through**.

En revenant, elle m'a demandé si je voulais bien lui ramener le petit bolide à Castle Rock. Elle a dit qu'elle avait causé avec un membre de son association de parents d'élèves, et que cette femme lui avait signalé je ne sais quel problème. Elle a dit qu'elle choperait une voiture chez Hertz si Worth ne pouvait pas venir la chercher. « Ça vous ennuie beaucoup de rentrer de nuit ? » m'a-t-elle demandé.

Elle m'a regardé en souriant et j'ai compris qu'elle se souvenait de certaines choses, Dieu seul sait combien, mais suffisamment pour savoir que j'voudrais pas essayer son itinéraire, en tout cas la nuit... et pourtant j'ai bien vu à la lueur de son regard qu'elle, ça l'aurait pas dérangée du tout.

J'ai donc dit que ça m'gênait pas, et je m'suis senti mieux pour terminer mon dîner. A la fin du repas, il commençait à faire sombre ; elle nous a emmenés à la maison de la femme à qui elle avait téléphoné. En descendant de voiture, elle me regarde avec la même lueur dans le regard : « Vous êtes *bien sûr* que vous ne préférez pas attendre, Homer ? J'ai repéré deux ou trois petites routes aujourd'hui ; elles ne figurent pas sur mes cartes, mais j'ai l'impression qu'elles feraient sauter quelques kilomètres. »

Et moi j'réponds : « J'aimerais bien, m'dame, mais je m'suis aperçu qu'à mon âge vaut mieux dormir dans son propre lit. J'vais ramener vot' voiture sans lui coller un seul gnon ; remarquez que j'vais sans doute lui coller plus de kilomètres que vous.

Elle a ri tendrement et m'a donné un baiser. Ça a été le plus beau baiser de toute ma vie, Dave. Un baiser sur la joue, un chaste baiser de femme mariée, mais moelleux comme une pêche ou comme ces fleurs qui s'épanouissent dans l'obscurité, et quand ses lèvres ont touché ma joue j'ai ressenti...

---

9. Pour **ran (to run, ran, run)**. Ici, **to run** signifie *circuler, conduire*.
10. **A couple of :** litt. *deux* ; mais souvent utilisé de manière plus vague : *quelques*.
11. **To chop :** *hacher, couper en petits morceaux*. **To chop a few miles :** expr. imagée ; litt. *mettre quelques kilomètres en bouillie*.
12. **Her** : noter l'usage du féminin pour désigner un véhicule. Obligatoire quand il s'agit d'un bateau (**ship** toujours féminin).
13. **laugh** [lɑ:f].
14. **Chaste** [tʃeɪst].

I don't know exactly what I felt like, because a man can't easily hold on to those things [1] that happened to him with a girl who was ripe when the world was young or how those things felt – I'm talking around what I mean [2], but I think you understand. Those things all [3] get a red cast [4] to them in your memory and you cannot see through it at all.

" 'You're a sweet man, Homer, and I love you for listening to me and riding with me,' she says. 'Drive safe [5].'

"Then in she went, to that women's house. Me, I drove [6] home."

"How did you go?" I asked.

He laughed softly. "By the turnpike, you damned [7] fool," he said, and I never seen [8] so many wrinkles [9] in his face before as I did then.

He sat there, looking into [10] the sky.

"Came the summer she disappeared. I didn't see much of her... that was the summer we had the fire, you'll remember, and then the big storm that knocked [11] down all the trees. A busy time for caretakers. Oh, I *thought* about her from time to time, and about that day, and about that kiss, and it started to seem like a dream to me. Like one time, when I was about sixteen and couldn't think about nothing but [12] girls. I was out plowing [13] George Bascomb's west field, the one that looks acrost [14] the lake at the mountains, dreamin about what teenage [15] boys dream of. And I pulled up this rock with the harrow blades, and it split open, and it *bled* [16]. At least, it looked to me like it bled. Red stuff come runnin out of the cleft [17] in the rock and soaked [18] into the soil.

---

1. **A man... things** : litt. *s'accrocher à ces choses*. Cf. **Hold tight !** : *tenez bon !*
2. **I'm talking around what I mean** : expr. imagée ; litt. *je parle autour de ce que je veux dire*. Cf. **to beat about the bush** [buʃ] : *tourner autour du pot*.
3. Pour **All those things**.
4. **A cast** : *un moule, une empreinte*. **To have one's leg in a cast** : *avoir une jambe dans le plâtre*.
5. Pour **drive safely**.
6. **Me, I drove** : anglais non standard. Cette répétition emphatique du pronom personnel ne s'emploie généralement pas en anglais.
7. **Damned** [dæmd].
8. Pour **I have never seen**.

J'sais pas exactement ce que j'ai ressenti, parce que c'est difficile de s'rappeler ce qui vous est arrivé avec une fille qu'était mûre quand le monde était jeune, ni de l'effet qu'ça produit... j'trouve pas les mots, mais je crois que tu saisis. Il se forme une croûte rouge autour de ces souvenirs et on n'arrive plus à voir à travers.

— « Vous êtes très gentil, Homer ; c'est adorable de m'avoir écoutée et de m'avoir accompagnée, qu'elle dit. Soyez prudent. »

Et elle a pénétré dans la maison de son amie, et moi, j'suis rentré chez moi.

— Par quel chemin ? ai-je demandé.

Il a ri gentiment : « Par l'autoroute, espèce d'idiot », fit-il : jamais je n'avais remarqué autant de rides sur son visage auparavant.

Il restait là, assis, à scruter le ciel.

— Vint l'été de la disparition de Phelia. Je ne l'ai pas beaucoup vue... C'était l'été de l'incendie, tu t'souviens, et pi de la grosse tempête qu'a renversé tous les arbres. Dure saison pour les gardiens ! Oh ! j'*pensais bien* à elle de temps en temps, à cette journée, à ce baiser, et ça a commencé à ressembler à un rêve. Comme quand j'avais dans les seize ans et où j'pensais qu'aux filles : un jour, je labourais le champ ouest de George Bascomb, celui qui donne sur le lac et les montagnes, et j'rêvais à quoi rêvent les adolescents ; y a une pierre qui s'est prise dans les lames de la herse ; elle s'est scindée en deux et elle *a saigné*. Moi, en tout cas, j'ai eu l'impression qu'elle saignait. La fente de la pierre laissait échapper une matière rouge dont s'imbibait le sol.

---

9. **A wrinkle :** *une ride.*
10. La préposition **into** indique que **Homer** ne se contente pas de regarder le ciel (**at**) : il le scrute, il le pénètre du regard.
11. **To knock :** *frapper* ; **to knock down :** *abattre*. Cf. *K.-O.* (**knocked out**), à la boxe.
12. La correction grammaticale voudrait que l'on dise **could not think of anything but**, ou **could think of nothing but**.
13. [plau]. GB : **plough**.
14. Pour **across**.
15. **Teenage :** *l'adolescence* (entre **thirteen** et **nineteen**). Cf. **teenagers :** *les ados.*
16. **To bleed, bled, bled.**
17. **To cleave, cleft, cleft :** *fendre* ; **a cleft :** *une faille.*
18. **To soak :** *imbiber.*

And I never told no one but my mother, and I never told her what it meant to me, or what happened to me, although she washed my drawers and maybe she knew. Anyway, she suggested I ought to pray on it [1]. Which [2] I did, but I never got no enlightenment, and after a while something started to suggest to my mind that it had been a dream. It's that way, sometimes. There is [3] holes in the *middle*, Dave. Do you know that?"

"Yes," I says, thinking of one night when I'd seen something. That was in '59, a bad year for us, but my kids didn't know it was a bad year; all they knew was that they wanted to eat just like always [4]. I'd seen a bunch of whitetail [5] in Henry Brugger's back field, and I was out there after dark with a jacklight [6] in August. You can shoot two when they're summer-fat [7]; the second'll come back and sniff at the first as if to say *What the hell? Is it fall [8] already?* and you can pop him like a bowlin pin. You can hack [9] off enough meat to feed yowwens [10] for six weeks and bury what's left. Those are two whitetails the hunters who come in November don't get a shot at [11], but kids have to eat. Like [12] the man from Massachusetts said, *he'd* like to be able to afford to live here the year around [13], and all I can say is sometimes you pay for the privilege after dark. So there I was, and I seen this big orange light in the sky; it come down and down, and I stood and watched it with my mouth hung on down to my breastbone [14] and when it hit [15] the lake the whole of it was lit up for a minute a purple-orange that seemed to go right up to the sky in rays.

---

1. Litt. *prier dessus* (pour comprendre ce qui s'était passé).
2. Trad. de *ce qui, ce que.* **Which** reprend ce qui précède (comme ici) : **what** annonce ce qui suit. Ex. **I told him what to do**.
3. Pour **there are**.
4. **Just like always :** pop. pour **as usual**.
5. **White tail :** litt. *animal ayant la queue blanche* ; fam. pour **deer** [diə] : *cerf*.
6. **Jacklight :** *lampe de poche*. GB : **torch**.
7. **Summer-fat :** adj. composé improvisé par **Dave**.
8. **Fall :** *automne* aux US ; GB : **autumn.**
9. **To hack :** *hacher, tailler, taillader* ; **to hack off :** *enlever grossièrement à coups de couteau.*

J'ai jamais conté ça qu'à ma mère, et j'lui ai jamais dit le sens que j'y attachais, ni c'qui m'est arrivé ; remarque qu'elle s'en est peut-être aperçue passe que c'est elle qui m'lavait mes caleçons. N'importe, elle m'a conseillé de prier. C'est c'que j'ai fait, mais ça ne m'a pas apporté de lumières et, au bout d'un certain temps, queuque chose m'a dit qu'j'avais dû voir ça en rêve. Ça s'produit parfois. Y a des trous au milieu. Ça t'est jamais arrivé, Dave ?

— Si », que j'fais en songeant à une vision qu'j'avais eue une nuit. C'était en 59, une année difficile pour nous, mais mes gosses s'en sont pas aperçus ; tout ce qu'ils savaient, c'est qu'ils avaient besoin de manger comme d'habitude. En août, j'avais repéré un groupe de cerfs ; après la tombée de la nuit, je suis allé dans le champ situé derrière la ferme d'Henry Brugger avec une loupiote. L'été, quand ils sont gras, on parvient à en tuer deux. Le second revient renifler le premier avec l'air de dire : « *Qu'est-ce qui se passe ? C'est déjà l'automne ?* » Et il se laisse tirer comme une quille au bowling. On arrive à découper assez de viande pour nourrir les petiots pendant six semaines et on enterre le reste. En novembre ce sont deux cerfs de moins pour les chasseurs, mais faut bien que les gosses mangent. C'est comme le type du Massachusetts qui disait qu'il aimerait bien pouvoir se permettre de vivre ici toute l'année ; moi, tout ce que j'peux dire, c'est qu'il arrive qu'on paie ce privilège la nuit. J'me trouvais donc là, et v'là qu'une lumière orange m'est apparue dans le ciel ; ça descendait, ça descendait, et j'restais là à la regarder, la bouche ouverte à m'en décrocher la mâchoire ; et quand ça a atteint le lac, il s'est illuminé pendant une minute : des rayures orange-pourpre semblaient monter jusqu'au ciel.

---

10. Yowwens : transcr. phon. pop. de **young ones**.

11. La chasse n'est pas encore ouverte. Dave se trouve réduit à braconner ; il ironise sur le fait que les chasseurs auront un animal de moins à tuer.

12. Pour **as**.

13. The year round : *toute l'année.* **All day long :** *toute la journée* ; **all night :** *toute la nuit* ; **week in week out :** *toute la semaine.*

14. With my mouth... breastbone : litt. *avec ma bouche suspendue jusqu'à ma clavicule.*

15. To hit, hit, hit : *frapper, toucher, atteindre.*

Wasn't nobody ever said nothing [1] to me about that light, and I never said nothing to nobody myself, partly because I was afraid they'd [2] laugh, but also because they'd wonder what the hell I'd been doing out there after dark to start with [3]. And after a while [4] it was like [5] Homer said – it seemed like a dream I had once had, and it didn't signify [6] to me because I couldn't make nothing of it which would turn under my hand [7]. It was like a moonbeam. It didn't have no handle and it didn't have no blade. I couldn't make it work so I left it alone, like a man does when he knows the day is going to come up nevertheless.

"There are *holes* in the middle of things," Homer said, and he sat up straighter [8], like he was mad [9]. "Right in the damn *middle* of things, not even to the left or right where your p'riph'ral vision is and you could say 'Well, but hell – ' They are there and you go around them like you'd go around a pothole [10] in the road that would break an axle [11]. You know? And you forget it. Or like if you are plowin, you can plow a dip. But if there's somethin like a *break* in the earth, where you see darkness, like a cave [12] might be there, you say 'Go around, old hoss [13]. Leave that alone [14]! I got a good shot over here to the left'ards [15].' Because it wasn't a cave you was lookin for, or some kind of college excitement, but good plowin.

"*Holes* in the *middle* of things."

He fell still a long time [16] and I let him be still. Didn't have no urge [17] to move him. And at last he says:

"She disappeared in August. I seen her for the first time in early July, and she looked..."

---

1. **Wasn't nobody ever said nothing.** Noter une fois de plus dans la bouche de Dave et de Homer les accumulations de négations qui s'annuleraient en anglais standard. On devrait dire : **Nobody ever said anything**.
2. **They would.**
3. **What the hell... start with :** litt. *ce que j'avais diable fait là-bas après la tombée de la nuit, pour commencer.*
4. **A while :** *un moment.*
5. Pour **as**.
6. **Signify** ['sɪgnɪ͵faɪ].
7. **I couldn't... hand :** litt. *je ne pouvais rien discerner qui me tombe sous la main.* ⚠ **To make out :** *discerner.*
8. **Sat up straighter :** formule redondante, puisque **up** suffirait à indiquer qu'il se redresse.

C'te lumière, personne m'en a jamais parlé, et moi non plus j'en ai jamais parlé à personne, passe que je craignais qu'on se moque de moi, mais aussi passe que les gens se seraient demandé c'que j'pouvais fabriquer la nuit dans ce coin-là. Et, au bout de quelque temps, c'est devenu comme Homer a dit : c'était comme si j'avais vu ça en rêve, et j'y comprenais goutte passe que j'voyais pas à quoi ça pouvait se rapporter. C'était comme un rayon de lune. Ça n'avait ni poignée ni lame. J'savais pas par où le prendre et j'ai laissé tomber, comme on fait quand on sait qu'on finira toujours par se réveiller.

— Y a des *trous* au milieu des choses, dit Homer ; et il s'est redressé, comme pris de frénésie : « En plein *milieu* des choses ! Pas même sur la gauche ou sur la droite de votre vision peuripheurique, là où on pourrait dire : « Nom d'un chien... » Ils sont là, et on en fait le tour, tu sais comme on contourne un nid-de-poule sur la route pour pas casser un moyeu. Et ensuite, on s'en souvient plus. C'est comme quand on laboure : on peut toujours labourer un creux. Mais si on tombe sur une *fissure* emplie de ténèbres, une fissure dans la terre qui recèle peut-être une caverne, on se dit : « Fais le tour, vieille branche. Laisse tomber ! Y a toute la place à gauche. » Passe que ce qu'on cherche, c'est pas une caverne, ni un plaisir de collégien, mais à bien labourer.

— Des *trous* au *milieu* des choses.

Il s'est tu un long moment, et j'lui ai fichu la paix. J'avais pas envie de le troubler. Et il finit par dire :

— Elle a disparu au mois d'août. J'l'ai vue pour la première fois en juillet, et elle était...

---

9. Pour **as if he was mad**.
10. **Pothole** : *nid de poule*.
11. **Axle** [æxl] : *moyeu*.
12. ⚠ **Cave** : *caverne*. **A cellar** : *une cave*.
13. **Old hoss**, pour **old horse**. Litt. *vieux cheval* = *mon pote, vieille branche*.
14. **Leave that alone** : *laisse tomber*. **Leave alone** : *laisse-moi tranquille*.
15. **I got ... left'ards** (pour **leftwards**) : litt. *j'ai amplement la place de passer ici à gauche* (du trou).
16. Litt. *Il tomba immobile* ou *silencieux*.
17. **Urge** [ɜːdʒ] : *besoin*.

Homer turned to me and spoke each word [1] with careful, spaced emphasis. "Dave Owens, she looked *gorgeous* [2]! Gorgeous and wild and almost untamed [3]. The little wrinkles I'd started to notice around her eyes all seemed to be gone. Worth Todd, he was at some conference or something in Boston. And she stands there at the edge [4] of the deck – I was out in the middle with my shirt off – and she says, 'Homer, you'll never believe it.'

" 'No, missus, but I'll try,' I says.

" 'I found two new roads,' she says, 'and I got up to Bangor this last time in just sixty-seven miles.'

"I remembered what she said before and I says, 'That's not possible, missus. Beggin your pardon, but I did the mileage on the map myself, and seventy-nine is tops [5]... as the crow flies [6].'

"She laughed, and she looked prettier than ever. Like a goddess in the sun, on one of those hills in a story where there's nothing but green grass and fountains and no puckies [7] to tear [8] at a man's forearms at all. 'That's right,' she says, 'and you can't run a mile in under four minutes. It's been mathematically [9] *proved*.'

" 'It ain't the same,' I says.

"It's the same,' she says. 'Fold the map and see how many miles it is [10] then, Homer. It can be a little less than a straight line if you fold it a little, or it can be a lot less if you fold it a lot. ●●

"I remembered our ride then, the way you remember a dream, and I says, 'Missus, you can fold a map on paper but you can't fold *land*.

---

1. **Spoke each word**, ou **uttered each word. To utter :** *prononcer.*
2. **Gorgeous** ['gɔ:dʒəs] **:** *somptueux, splendide, fastueux, sensationnel.*
3. **To tame :** *domestiquer.*
4. **Edge :** 1) *tranchant* (couteau) ; 2) *bord.* L'anglais possède un vocabulaire très riche pour traduire ce concept. Cf. **rim**, ou **brim :** *bord d'un verre, d'une assiette, d'un chapeau* (objets ronds) : **the glass was full to the brim** (*à ras bord*) ; **roadside :** *le bord de la route* ; *bord d'un précipice* au propre ou au figuré = **verge** [və:dʒ] ou **brink** : **he is on the verge** (ou **brink**) **of madness :** *au bord de*

Homer se tourna vers moi et souligna soigneusement chaque parole en les prononçant séparément : « Dave Owens, elle était *superbe* ! Superbe, farouche, quasiment indomptée. Toutes les petites rides qu'on commençait à remarquer autour de ses yeux semblaient avoir disparu. Worth Todd, il était à une réunion ou je n'sais où à Boston. Debout au bord de la terrasse (moi j'étais au centre, torse nu), elle dit : « Homer, vous pouvez pas vous imaginer. »

— « Non, m'dame, mais j'vais essayer », que j'fais.

— « J'ai trouvé deux nouvelles routes, qu'elle dit, et la dernière fois je n'ai pas mis plus de 107 km pour aller à Bangor. »

J'me suis souvenu de ce qu'elle avait dit auparavant, et je dis : « C'est pas possible, m'dame. Je m'essecuse, mais j'ai compté les kilomètres sur la carte et, à vol d'oiseau, ça fait au minimum 126 km. »

Elle a ri, et j'l'avais jamais vue aussi jolie. Comme une déesse sur une colline ensoleillée dans une histoire où y a rien que de l'herbe verte et des fontaines et pas de lutins qui vous tirent par la manche. « Tout juste, dit-elle, et on ne peut pas courir le mile en moins d'une minute. Ça a été *prouvé* mathématiquement. »

— « C'est pas pareil », que j'fais.

— « Mais si, qu'elle dit. Essayez de plier la carte, Homer : vous verrez combien de kilomètres ça fait. Ça peut en faire un peu moins qu'une ligne droite si on la plie un peu, et beaucoup moins si on la plie beaucoup. »

Je m'suis rappelé notre voyage, comme on se souvient d'un rêve, et je fais : « Mais, m'dame, on peut plier une carte sur le papier, mais on peut pas plier de la *terre* !

---

la folie ; *bord de mer* : **seaside**, ou **seashore** ; *bord du trottoir* : **kerb** (GB), **curb** (US) ; *lisière d'un bois, d'une ville* : **outskirts.**

5. Fam. pour **seventy nine is the maximum**.

6. As the crow flies : Cf. note 12, p. 159.

7. A puck : *lutin, elfe.*

8. To tear [tɜə], **tore, torne :** *déchirer*. **At** marque l'idée de tentative : *essayer de déchirer*.

9. Mathematics [ˌmæθɜ'mætiks], **mathematically** [ˌmæθɜ'mætikəˌli].

10. Noter l'emploi de **be** pour indiquer la distance ou la durée. Cf. **How far is it to London ? How long is it ? What time is it ?**

Or at least you shouldn't ought to try [1]. You want [2] to leave it alone.'

" 'No sir,' she says. 'It's the one thing right now in my life that I won't leave alone, because it's *there*, and it's *mine*.'

"Three weeks later – this would be about two weeks before she disappeared [3] – she give me a call from Bangor. She says, 'Worth has gone to New York, and I am coming down. I've misplaced [4] my damn key, Homer. I'd like you to open the house so [5] I can get in.'

"Well, that call come at eight o'clock, just when it was starting to come down dark. I had a sanwidge [6] and a beer before leaving – about twenty minutes. Then I took a ride down there. All in all, I'd say I was forty-five minutes. When I got down there to the Todds', I seen there was a light on [7] in the pantry [8] I didn't leave on while I was comin down the driveway. I was lookin at that, and I almost run [9] right into her little go-devil. It was parked kind of on a slant [10], the way a drunk [11] would park it, and it was splashed with muck [12] all the way up to the windows, and there was this stuff stuck [13] in that mud along the body that looked like seaweed.... only when my lights hit it, it seemed to be *movin*. I parked behind it and got out of my truck. That stuff wasn't seaweed, but it *was* weeds [14], and it *was* movin... kinda slow and sluggish [15], like it was [16] dyin. I touched a piece of it, and it tried to wrap [17] itself around my hand. It felt nasty and awful. I drug [18] my hand away and wiped it on my pants. I went around to the front of the car [19]. It looked like it had come through about ninety miles of splash [20] and low country [21].

---

1. **Shouldn't ought to try** : redondance pop.
2. **You want** : *il faut* (pour **you must**).
3. **Disappear** [,disə'pɪə].
4. **To misplace**, ou **to lay astray** : *égarer*.
5. **So**, pour **that** : *afin que*.
6. **Sanwidge**, transcr. phon. de **sandwich** (accent pop.).
7. **The light is on** : *c'est allumé* ≠ **the light is off** : *éteint*. **To switch on/off**, ou **to turn on the light/to turn off the light** : *allumer/éteindre*. **A switch** : *un commutateur*.
8. **Pantry** : *garde-manger*, ou *office*.
9. **Run** pour **ran**.
10. **Slanting, aslant** : *en biais*.
11. **A drunk**, ou **drunkard** : *un ivrogne*.

En tout cas, vaut mieux pas essayer. Faut la laisser tranquille. »

— « Ah ! non alors, qu'elle fait. Je n'ai que ça dans ma vie actuellement, et je ne la laisserai pas tranquille, parce qu'elle est *là* et qu'elle *m'appartient*. »

Trois semaines plus tard (c'est-à-dire à peu près quinze jours avant sa disparition), elle me donne un coup de fil de Bangor pour dire : « Worth est parti à New York et je vais venir. J'ai égaré ma putain de clef, Homer. Je voudrais que vous ouvriez la maison pour me permettre d'entrer. »

Il était huit heures quand elle a téléphoné : le jour commençait juste à tomber. Avant de m'en aller, j'ai avalé un sandviche et une bière : ça m'a pris environ vingt minutes. Et puis j'suis parti chez les Todd. Disons qu'en tout, ça m'a pris une quarantaine de minutes. En descendant l'allée du jardin, j'ai vu une lumière dans le garde-manger que j'avais pas laissée allumée. Ça m'a attiré le regard, et j'ai manqué rentrer dans le petit bolide. Il était garé de travers, comme par un ivrogne, les portières crottées jusqu'aux fenêtres ; et, tout le long de la carrosserie, y avait des trucs collés dans cette boue ; ça ressemblait à des algues... mais dans la lumière de mes phares, ça avait l'air de *remuer*. Je m'suis garé derrière et j'suis sorti de mon camion. C'étaient pas des algues, mais c'étaient quand même des herbes, et ça bougeait... lentement, mollement, comme un moribond. J'en ai touché un morceau et ça a essayé de s'enrouler autour de ma main. C'était fétide et répugnant. J'ai retiré ma main et j'l'ai essuyée sur mon pantalon. J'suis allé à l'avant de la voiture. On aurait dit qu'elle avait traversé une centaine de kilomètres de plaine boueuse.

---

12. **Muck**, ou **mud** : *la boue.*
13. **To stick, stuck, stuck** : *coller.*
14. **Weed** : *herbe sauvage, mauvaise herbe* ; **seaweed** : *algues.*
15. **Sluggish** : *visqueux* ; **a slug** : *une limace.*
16. Pour **as if it was**.
17. **Wrap** [rɔp].
18. **To drag** est un verbe régulier, mais comme il arrive souvent chez les Américains peu éduqués, on forge un prétérite irrégulier sur un autre modèle (cf. **to dig, I dug, dug** : *creuser*).
19. Litt. *j'ai fait le tour jusqu'à l'avant de la voiture.*
20. **To splash** : *éclabousser.*
21. **Low country** (US) ; GB : **plain**.

Looked *tired*, it did[1]. Bugs[2] was splashed all over the windshield – only they didn't look like no kind of bugs *I* ever seen before. There was a moth[3] that was about the size of a sparrow, its wings still flappin a little, feeble and dyin. There was things like mosquitoes, only they had real eyes that you could see – and they seemed to be seein *me*. I could hear those weeds scrapin against the body of the go-devil, dyin, tryin to get a hold on somethin. And all I could think was Where in the hell has she been? And how did she get here in only three-quarters of an hour? Then I seen somethin else. There was some kind of a animal half-smashed onto the radiator grille, just under where that Mercedes ornament is – the one that looks kinda like a star looped[4] up into a circle? Now most small animals you kill on the road is bore[5] right under the car, because they are crouching[6] when it hits them, hoping it'll just go over and leave them with their hide still attached to their meat[7]. But every now and then[8] one will jump, not away, but right at[9] the damn car, as if to get in one good bite of whatever the buggardly thing is that's going to kill it – I have known that to happen. This thing had maybe done that. And it looked mean[10] enough to jump a Sherman tank. It looked like something which come of a mating[11] between a woodchuck[12] and a weasel, but there was other stuff thrown in that a body[13] didn't even want to look at. It hurt your eyes, Dave; worse'n that, it hurt your *mind*. Its pelt[14] was matted[15] with blood, and there was claws sprung[16] out of the pads[17] on its feet like a cat's claws, only longer. It had big yellowy eyes, only they was glazed[18].

---

1. **It did** renforce ce qui précède.
2. **Bug :** toutes sortes d'*insectes* (punaises, cafards, etc.).
3. **Moth :** *phalène, mite* ; ≠ **butterfly :** *papillon.*
4. **Loop :** *boucle, méandre.*
5. **Is bore** pour **is born** (**to bear** [bɛə], **bore, born**).
6. **To crouch** [kraʊtʃ] **:** *se tapir, se ramasser pour bondir.*
7. Litt. *avec leur peau attachée à leur viande.* **To save one's hide :** *sauver sa peau.*
8. **Every now and then :** *de temps en temps.*
9. **At :** idée d'hostilité.

Elle avait l'air *fatiguée*, très fatiguée. Y avait des insectes écrabouillés plein le pare-brise, mais j'avais jamais vu des insectes pareils. Y avait une phalène grosse comme un moineau qui se mourait en battant faiblement des ailes. Y avait des espèces de moustiques, mais avec des vrais yeux qu'on voyait et qui semblaient *me* voir. J'entendais les herbes gratter sur la carrosserie du petit bolide ; dans leur agonie, elles tentaient de se raccrocher à quelque chose. Et je m'demandais où diable elle avait pu aller, et comment elle avait fait pour ne mettre que trois quarts d'heure. Et alors j'ai aperçu autre chose : une espèce d'animal à moitié en bouillie sur la grille du radiateur, juste en dessous de l'emblème de la Mercedes qui ressemble à une étoile insérée dans un cercle. Or, en général, quand on bousille une bête sur la route, on la retrouve sous la voiture, parce qu'au moment du choc, elle se tapit dans l'espoir qu'on lui passera dessus sans lui arracher la peau des os. Mais de temps à autre, l'une d'elles bondit, non pas sur le côté, mais sur la putain de voiture, comme pour bouffer un morceau de cette saloperie qui s'apprête à la tuer. Je sais que ça arrive. Cette créature avait peut-être agi ainsi. Elle avait l'air assez mauvaise pour se jeter sur un char Sherman. On aurait dit le fruit de l'accouplement d'une marmotte et d'une belette ; mais dans cette charogne y avait aussi des choses qu'on n'osait pas regarder. Ça faisait mal aux yeux ; pire, ça faisait mal à l'*esprit*. Elle avait la fourrure maculée de sang, des griffes qui lui sortaient des pattes, comme des griffes de chat, mais en plus long, et des yeux jaunâtres, mais vitreux,

---

10. **Mean :** *vicieux, méchant.*
11. **To mate :** *s'accoupler* ; **a mate :** *un compagnon* (mâle ou femelle).
12. **Woodchuck** (US) **:** *marmotte* d'Amérique.
13. **A body**, pour **somebody**.
14. **Pelt :** *peau*, ou *fourrure* d'un animal poilu.
15. **Mat :** *tapis, paillasson.* **Matted hair :** *tignasse emmêlée.*
16. **To spring, sprang, sprung :** *sauter, jaillir.*
17. **Pad :** *bourrelet, coussinet.*
18. **Glazed :** *vitré, émaillé* ; **glased eyes :** *yeux vitreux.*

When I was a kid I had a porcelain marble – a croaker – that looked like that. And teeth. Long thin needle teeth that looked almost like darning needles, stickin out [1] of its mouth. Some of them was sunk [2] right into that steel grillwork. That's why it was still hanging on; it had hung its *own* self on by the teeth. I looked at it and knowed [3] it had a headful [4] of poison just like a rattlesnake, and it jumped at that go-devil when it saw it was about to be run down [5], tryin to bite it to death. And I wouldn't be the one to try and yonk it offa [6] there because I had cuts on my hands – haycuts – and I thought it would kill me as dead as a stone parker [7] if some of that poison seeped into the cuts.

"I went around to the driver's door and opened it. The inside light come on, and I looked at that special odometer that she set for trips... and what I seen there was 31.6.

"I looked at that for a bit [8], and then I went to the back door. She'd forced the screen and broke the glass by the lock so she could get her hand through and let herself in. There was a note that said: 'Dear Homer – got here a little sooner than I thought I would. Found a shortcut, and it is a dilly [9]! You hadn't come yet so I let myself in like a burglar [10]. Worth is coming day after tomorrow. Can you get the screen fixed [11] and the door reglazed by then? Hope so. Things like that always bother him. If I don't come out to say hello, you'll know I'm asleep. The drive was very tiring, but I was here in no time! Ophelia.'

"*Tirin!* I took another look at that bogey [12]-thing hangin offa [13] the grille of her car, and I thought Yessir, it *must* have been tiring. By God, *yes*.»

---

1. **To stick out :** indique une protubérance : *saillir*.
2. **To sink, sank, sunk :** *couler* (un bateau), *s'enfoncer*.
3. Pour **knew**.
4. Cf. **a handful :** *une poignée* ; **a plateful :** *une assiettée* ; **a glassful, a hatful**, etc.
5. **To run down**, ou **over :** *écraser* (sur la route).
6. **Yonk off :** fam. US, *arracher*.
7. **A stone parker** ; **stone** = **stoned** (sl.) : *« pété »* (sous l'influence de l'alcool ou de la drogue) ; **parker :** *employé* chargé de garer les véhicules des clients.

qui ressemblaient à une bille en porcelaine (un calot) que j'avais quand j'étais petit. Et des dents ! De longues dents acérées qu'on aurait dit des aiguilles à repriser, et qui lui sortaient de la gueule. Y en avait qu'étaient enfoncées dans la grille d'acier. C'est ainsi qu'il était resté suspendu : il *s'était* pendu par les dents. En le regardant, j'ai compris qu'il avait du venin plein la tête, comme un serpent à sonnettes, et qu'en s'apercevant qu'il allait se faire écraser, il avait sauté sur le petit bolide afin de tenter de le tuer à coups de dents. Et c'est pas moi qu'aurais essayé de le détacher de là, passe que je m'étais entaillé les mains avec du foin, et je m'suis dit que j'tomberais raide mort si ce venin s'infiltrait dans mes écorchures.

Je suis allé ouvrir la portière du conducteur. L'intérieur s'est allumé, et j'ai regardé l'odomètre qu'elle avait fait installer spécialement : ça marquait 51,1 km !

J'l'ai regardé un moment avant de me diriger vers la porte du fond. Elle avait forcé le volet et cassé le carreau près de la serrure afin de passer la main pour entrer. Elle avait laissé un mot : « Mon cher Homer, arrivée un peu plus tôt que prévu. Trouvé un raccourci, une merveille ! Vous n'étiez pas encore là, alors je suis entrée comme un cambrioleur. Worth vient après-demain. Pouvez-vous réparer le volet et remplacer le carreau ? J'espère que oui. C'est le genre de choses qui l'agacent. Si je ne viens pas vous dire bonsoir, ça voudra dire que je dors. Le voyage m'a beaucoup fatiguée, mais je suis arrivée en un clin d'œil ! Ophelia. »

J'ai jeté un nouveau coup d'œil sur le monstre suspendu au radiateur et je m'suis dit que, Bon Dieu, pour être *fatigant*, ça avait dû être fatigant.

---

8. **For a bit = for a while.**
9. **A dilly :** fam. *une merveille.*
10. **Burglar** ['bə:glə] : *cambrioleur* ; **burglary :** *cambriolage.*
11. **To get**, ou **to have** + p.p. = *faire* + inf. **To get the screen fixed :** *faire réparer le volet.*
12. **Bogey** ['bəʊgɪ] : *spectre, démon* ; **bogeyman :** *croque-mitaine.*
13. **Offa = off.**

He paused again, and cracked a restless knuckle [1].

"I seen her only once more. About a week later. Worth was there, but he was swimmin out in the lake, back and forth, back and forth [2], like he was sawin [3] wood or signin papers. More like he was signin papers, I guess.

" 'Missus,' I says, 'this ain't my business, but you ought to leave well enough alone [4]. That night you come back and broke the glass of the door to come in, I seen somethin hangin off the front of your car – '

" 'Oh, the chuck! I took care of that [5],' she says.

" 'Christ!' I says. 'I hope you took some care!'

" 'I wore Worth's gardening gloves,' she said. 'It wasn't anything anyway, Homer, but a jumped-up woodchuck with a little poison in it.'

" 'But missus,' I says, 'where there's woodchucks there's bears [6]. And if that's what the woodchucks look like along your shorcut, what's going to happen to you if a bear shows up [7]?'

"She looked at me, and I seen that other woman in her – that Diana-woman. She says, 'If things are different along those roads, Homer, maybe I am different, too. Look at this.

"Her hair was done up in a clip at the back [8], looked sort of like a butterfly and had a stick through it. She let it down. It was the kind of hair that would make a man wonder what it would look like spread [9] out over a pillow. She says, 'It was coming in gray, Homer. Do you see any gray?' And she spread it with her fingers so [10] the sun could shine on it.

" 'No'm [11],' I says.

"She looks at me, her eyes all a-sparkle [12], and she says,

---

1. **Cracked a restless knuckle :** litt. *il fit craquer une phalange agitée.*
2. **Back and forth :** *d'avant en arrière* et *d'arrière en avant.*
3. **To saw, ed, ed :** *scier.* **A handsaw :** *une scie égoïne.*
4. Litt. *vous devriez laisser tranquille ce qui va suffisamment bien.*
5. **I took care of that :** *je m'en suis occupée.*
6. ⚠ **A bear** [bɛə] **: ours** ; **to bear** [bɛə], **bore, born :** *porter* ; mais **a beer** [bɪə] **:** *une bière* ; **fear** [fɪə] **:** *peur.*

Tout agité, il s'interrompit de nouveau et fit craquer une de ses phalanges.

— J'l'ai plus revue qu'une seule fois. Environ une semaine après. Worth était là, mais il se baignait dans le lac ; il faisait des allers et retours, comme quand on scie du bois ou quand on signe des papiers. J'dirais plutôt comme quand on signe des papiers.

— « M'dame, que j'fais, c'est pas mes oignons, mais vaudrait mieux laisser tomber. Le soir où vous êtes revenue et où vous avez cassé la porte pour entrer, j'ai vu un truc suspendu à l'avant de vot' voiture... »

— « Oh ! la marmotte ! Je m'en suis occupée. »

— « Mon Dieu, que j'dis. J'espère que vous avez pris des précautions. »

— « J'ai mis les gants de jardinage de Worth, qu'elle fait. De toute manière, ce n'était rien qu'une marmotte écrasée avec un peu de venin dedans. »

— « Mais, m'dame, là où il y a des marmottes, il y a des ours. Et si les marmottes de vos raccourcis ont cette allure, que vous arrivera-t-il s'il surgit un ours ? »

Elle m'a regardé, et j'ai revu l'autre femme, la partie Diane. Elle dit : « Homer, si les choses prennent un aspect différent, peut-être que moi aussi, je suis différente. Regardez. »

Ses cheveux étaient retenus par une pince, comme un papillon transpercé par une brindille. Elle les détacha. C'était une de ces chevelures devant lesquelles un homme se prend à rêver de les voir répandus sur un oreiller. Elle fait : « Ils commençaient à grisonner, Homer. Voyez-vous des cheveux gris ? » Et elle les a déployés entre ses doigts pour les faire briller au soleil.

— « Non m'dame », que j'dis.

Elle me regarde, les yeux étincelants, et dit :

---

7. **To show up,** ou **turn up :** *apparaître.*
8. **Her hair... back :** litt. *ses cheveux étaient rassemblés dans une pince à l'arrière.* ⚠ **hair**, invariable pour *les cheveux, la chevelure.* **Her hair is black :** *ses cheveux sont noirs.* Mais **a few hairs :** *quelques poils.*
9. **To spread, spread, spread** [spred] **:** *s'étendre, s'étaler.*
10. Pour **so that :** *afin que, si bien que.*
11. **No'm :** contraction de **no, madam.**
12. **A-sparkle.** Préfixe **a** qu'on retrouve dans **awake, asleep,** etc.

" 'Your wife is a good woman, Homer Buckland, but she has seen me in the store and in the post office, and we've passed the odd word or two [1], and I have seen her looking at my hair in a kind of satisfied way that only women know. I know what she says, and what she tells her friends [2]... that Ophelia Todd has started dyeing [3] her hair. But I have not. I have lost my way looking for a shortcut more than once... lost my way... and lost my gray [4].' And she laughed, not like a college girl but like a girl in high school [5]. I admired her and longed [6] for her beauty, but I seen that other beauty in her face as well just then... and I felt afraid again. Afraid *for* her, and afraid *of* her.

" 'Missus,' I says, 'you stand to lose more than a little sta'ch [7] in your hair.'

" 'No,' she says. 'I tell you I am different over there... I am *all myself* over there [8]. When I am going along that road in my little car I am not Ophelia Todd, Worth Todd's wife who could never carry a child [9] to term, or that woman who tried to write poetry and failed at it, or the woman who sits and takes notes in committee meetings, or anything or anyone else. When I am on that road I am in the heart of myself, and I feel like – '

" '*Diana*,' I said.

"She looked at me kind of funny and kind of surprised, and then she laughed. 'O like some goddess, I suppose,' she said. 'She will do better than most [10] because I am a night person – I love to stay up [11] until my book is done [12] or until the National Anthem [13] comes on [14] the TV, and because I am very pale, like the moon – Worth is always

---

1. **We've passed the odd word or two** : expression familière. Litt. *nous avons échangé un ou deux mots.* **Odd number** : *nombre impair* (≠ **even** : *pair*). **Fifty off years** : *une quarantaine d'années* ; **twenty pounds odd** : *vingt et quelques livres.*
2. **To tell somebody sth ; to say sth, to somebody.**
3. **To dye, dyed, dyed** : *teindre.* **To die, died, died** : *mourir.* ⚠ **dyeing ≠ dying.**
4. Jeu de mots sur **way** et **gray.**
5. **High school** (US) : *école secondaire.*
6. **Longed** ['lɔŋgd]. **To long for** : *désirer ardemment.* **A longing** ['lɔŋgɪŋ] : *désir, envie, nostalgie, convoitise.*
7. **Starch** : *poix.* **A starched collar** : *un col empesé.* **You stand...**

— « Votre femme est une brave personne, Homer Buckland, mais on s'est vues chez le marchand et à la poste ; nous avons bavassé un peu, et j'ai remarqué qu'elle regardait mes cheveux avec cet air de satisfaction dont les femmes ont le secret. Je sais ce qu'elle raconte à ses amies... elle dit qu'Ophelia Todd a commencé à se teindre les cheveux. Mais ce n'est pas vrai. Plus d'une fois, je me suis perdue en cherchant un raccourci, et mes cheveux gris se sont perdus avec. » Elle a ri, non plus comme une étudiante, mais comme une collégienne. Je l'admirais et sa beauté me médusait, mais à ce moment-là, j'ai distingué l'autre beauté de son visage... et j'ai repris peur. Peur *pour* elle, et peur *d'*elle.

— « M'dame, que j'fais. Il va vous arriver queuque chose de pire que d'perdre un peu de pigment dans vos cheveux. »

— « Non, répond-elle. Je vous assure, là-bas, je suis différente, et je suis *totalement moi-même.* Sur cette route, dans ma petite voiture, je ne suis plus Ophelia Todd, la femme de Worth, incapable de mener un enfant à terme, ni cette femme qui a vainement tenté d'écrire de la poésie, ni cette femme qui prend des notes pendant les séances du comité, ni rien, ni personne d'autre. Sur cette route, je suis au cœur de moi-même, et j'ai l'impression d'être... »

— « *Diane* », que j'fais.

Elle m'a regardé d'un air bizarre et surpris, puis elle a dit en riant : « Disons une déesse. C'est le mot le plus juste, parce que je suis noctambule (j'adore veiller jusqu'à la fin d'un livre ou jusqu'au moment où on joue l'hymne national à la télé), et parce que je suis très pâle, comme la lune (Worth n'arrête pas de

---

sta'ch : litt. *vous risquez de perdre davantage qu'un peu de poix dans vos cheveux.*

8. **Over there** : *là-bas.*
9. **To carry a child** : *porter un enfant.* **A miscarriage** [mɪs'kærɪdʒ] : *une fausse couche.*
10. **She will do better than most** : litt. *Cela conviendra mieux que n'importe quoi.* Noter le sens de **do** : *convenir.* **That won't do** : *cela ne me conviendra pas.*
11. **To stay up** : *rester debout.*
12. Autre sens de **do** : *terminer.* **I am not done with you** : *je n'en ai pas fini avec vous.*
13. **National Anthem** ['ænθəm] : *hymne national. Une hymne :* **a hymn** [hɪm].
14. Noter l'emploi de **on : on the radio, on the bus, on the train, on the plane.**

saying I need a tonic, or blood tests or some sort of similar bosh[1]. But in her heart what every woman wants to be is some kind of goddess, I think – men pick up a ruined echo of that thought and try to put them on pedestals[2] (a woman, who will pee down her own leg if she does not squat! it's funny when you stop to think of it) – but what a man senses[3] is not what a woman wants. A woman wants to be in the clear[4], is all[5]. To stand if she will, or walk...' Her eyes turned toward that little go-devil in the driveway, and narrowed. Then she smiled. 'Or to *drive*, Homer. A man will not see that. He thinks a goddess wants to loll[6] on a slope somewhere on the foothills of Olympus and eat fruit[7], but there is no god or goddess in that. All a woman wants is what a man wants – a woman wants to *drive*.'

" 'Be careful where you drive, missus, is all,'' I says, and she laughs and give me a kiss spang in the middle of the forehead.

"She says, 'I will, Homer,' but it didn't mean nothing, and I known it[8], because she said it like a man who says he'll be careful to his wife or his girl[9] when he knows he won't... can't.

"I went back to my truck and waved[10] to her once, and it was a week later that Worth reported her missing. Her and that go-devil both[11]. Todd waited seven years and had her declared legally dead[12], and then he waited another year for good measure – I'll give the sucker that much – and then he married[13] the second Missus Todd, the one that just went by. And I don't expect you'll believe a single damn word of the whole yarn."

---

1. **Bosh** (argot) : *blagues, bêtises, foutaises.*
2. **Pedestal** [pɪ'destəl].
3. **To sense** : *sentir intuitivement.* ⚠ **Sensitive** : *sensible* ; **sensible** : *sensé.*
4. **In the clear** : *en plein air, en liberté, dépourvu d'entraves.*
5. **Is all** = **that's all.**
6. **To loll** : *se prélasser.*
7. **Fruit,** comme **fish,** peut avoir un sens collectif. **He caught plenty of fish** ; **the orchard** ['ɔ:tʃəd] **was full of fruit** : *le verger était plein de fruits.* On n'utilisera le pluriel que pour insister sur une petite quantité : **he caught only two or three fishes.**

me dire qu'il faudrait que je prenne un fortifiant, ou que je me fasse faire une prise de sang, et tout le taintoin). Mais au fond d'elles-mêmes, je crois que toutes les femmes voudraient être une sorte de déesse ; les hommes ne perçoivent qu'un faible écho de ce sentiment, et ils essaient de les mettre sur des piédestals (et dire qu'une femme doit s'accroupir pour ne pas pisser sur ses cuisses ! c'est drôle quand on y pense !) ; mais les hommes ne saisissent pas le véritable désir des femmes. Une femme aspire à la liberté, un point c'est tout. Agir selon son désir : rester debout, ou marcher... » Son regard se porta sur le petit bolide garé dans l'allée, et elle plissa les yeux. Puis elle sourit : « Ou *rouler*, Homer. Un homme ne comprend jamais cela. Il se figure qu'une déesse aspire à se prélasser à flanc de colline au pied de l'Olympe en mangeant des fruits, mais il n'y a rien de divin dans tout cela. Comme les hommes, les femmes n'ont qu'un seul désir : elles désirent *rouler*. »

— « Faites attention aux lieux où vous roulez, m'dame, un point c'est tout », que j'fais ; elle rit et me donne un baiser au beau milieu du front.

— « D'accord, Homer », dit-elle ; mais je savais que ça ne voulait rien dire, passe qu'elle a dit ça comme on promet à sa femme ou à sa copine qu'on va faire attention tout en sachant qu'on n'en fera rien, et qu'on n'en sera pas capable.

J'ai regagné mon camion et j'lui ai fait au revoir de la main ; une semaine plus tard Worth a annoncé sa disparition et celle de son petit bolide. Todd a attendu sept ans avant d'officialiser son décès ; et ensuite, pour donner le change (il faut bien rendre cette justice à cette canaille !), il a attendu une année de plus pour épouser la seconde Mme Todd, celle qui vient de passer. Et je parie que tu ne croiras pas un traître mot de toute cette putain d'histoire.

---

8. Pour **It didn't mean anything and I knew it.**
9. **Girl** (friend) ≠ **daughter.**
10. **Wave :** *une vague, une onde.* **To wave :** *agiter.* **To wave goodbye to sb :** *dire au revoir de la main.*
11. En anglais standard, **both** se place avant ce qu'il détermine : **both her and her go-devil.**
12. **Had her declared dead. To have** causatif + part. passé = *faire.*
13. **To marry** (v. tr.). **To marry sb** *(avec qqn).*

In the sky one of those big flat-bottomed clouds moved enough to disclose the ghost of the moon – half-full and pale as milk. And something in my heart leaped up [1] at the sight, half in fright, half in love.

"I do though," I said. "Every frigging [2] damned word. And even if it ain't true, Homer, it ought to be."

He give me a hug [3] around the neck with his forearm, which is all men can do since the world don't let them kiss but only women, and laughed, and got up.

"Even if it *shouldn't* ought to be, it is," he said. He got his watch out of his pants [4] and looked at it. "I got to go down the road and check [5] on the Scott place. You want to come?"

"I believe I'll sit here for a while," I said, "and think."

He went to the steps, then turned back and looked at me, half-smiling. "I believe she was right," he said. "She *was* different along those roads she found... wasn't nothing that would dare touch her [6]. You or me, maybe, but not her.

"And I believe she's young."

Then he got in his truck and set off [7] to check the Scott place.

That was two years ago, and Homer has since gone to Vermont, as I think I told you. One night he come over to see me. His hair was combed, he had a shave [8], and he smelled of [9] some nice lotion. His face was clear and his eyes were alive. That night he looked sixty instead of seventy, and I was glad for him and I envied him and I hated him a little, too. Arthritis is one buggardly great old fisherman, and that night Homer didn't look like arthritis [10] had any fishhooks [11] sunk into his hands the way they were sunk into mine [12].

---

1. **To leap** [li:p], **leapt** [lept], **leapt** : *bondir*. On utilise souvent **leaped** pour **leapt**, surtout aux US. Autres verbes pour traduire *sauter* : **to spring, sprang, sprung** ; **to jump** (cf. **pole jumping** : *saut à la perche*) ; **to pop** *(un bouchon)* ; *faire sauter une serrure* : **to burst a lock** ; *faire sauter un cours* : **to cancel a class** *(annuler)* ; *faire sauter une crêpe* : **to toss a pancake** ; *faire sauter une mine* : **to blow up a mine** ; *sauter une page, un repas* : **to skip.**
2. **Frigging** : déformation de **fucking. To fuck** : *baiser.*
3. **To hug** : *serrer dans ses bras, étreindre.*

Dans le ciel, un nuage plat s'est déplacé. Suffisamment pour dévoiler le fantôme de la lune, qui était à moitié pleine et d'une pâleur laiteuse. Devant ce spectacle, j'ai senti battre mon cœur, à moitié par peur et à moitié par amour.

— Mais si, que j'ai fait. Chacune de tes sacrées foutues paroles. Et même si ton histoire n'est pas vraie, elle mérite de l'être.

Il m'a passé le bras autour du cou (les hommes ne peuvent faire davantage, puisque la société ne les autorise à embrasser que les femmes) ; puis il s'est levé en riant.

— Même si *ça méritait pas* de l'être, c'est la vérité », qu'il a fait. Il a tiré sa montre de son pantalon et regardé l'heure. « Il faut qu'j'aille jeter un coup d'œil sur la maison des Scott. Tu m'accompagnes ? »

— J'préfère méditer un peu ici, que j'ai fait.

Il s'est dirigé vers l'escalier, puis s'est retourné et m'a regardé avec un vague sourire : « J'crois qu'elle avait raison, qu'il a dit. Elle était vraiment différente sur les routes qu'elle découvrait... Dieu ne pouvait l'atteindre. Toi ou moi, peut-être, mais pas elle. »

— Et j'crois qu'elle est jeune.

Il monta dans son camion et partit jeter un coup d'œil sur la maison des Scott.

Ça s'est passé il y a deux ans. Depuis, je crois vous avoir déjà dit qu'Homer est parti dans le Vermont. Un soir, il m'a rendu visite, bien coiffé, bien rasé, et tout parfumé. Il avait le visage clair et le regard animé. Ce soir-là, ce septuagénaire paraissait avoir dix ans de moins. J'étais heureux pour lui, non sans éprouver une pointe de jalousie et de ressentiment. L'arthrite, c'est comme une vieille saloperie de pêcheur et, ce soir-là, Homer n'avait pas l'air d'avoir plein d'hameçons fichés dans les mains comme moi.

---

4. **Pants** (US) **:** *pantalon ;* GB = **trousers** ['traʊzɪz].
5. **To check :** *vérifier.*
6. En anglais standard : **nothing would have dared to touch her.**
7. **Set off.** La postposition **off** = *idée de séparation, de départ.*
8. **To have a shave :** *se raser.* Comme on dit **to have a drink, to have a shower** ['ʃaʊə] *(prendre un verre, une douche).*
9. ⚠ Construction des verbes sensoriels avec **of.** *Ça sent l'oignon :* **it smells of onions** ['ʌjənz] ; *ça a un goût de poisson :* **it tastes of fish.**
10. **Arthritis** [aː'θraɪtɪs].
11. **Hook** [hʊk] **:** *crochet, hameçon.*
12. **The way they were sunk into mine :** litt. *de la manière dont ils étaient enfoncés dans les miennes.*

"I'm going," he said.

"Ayuh?"

"Ayuh."

"All right, did you see to [1] forwarding [2] your mail?"

"Don't want none forwarded," he said. "My bills [3] are paid. I am going to make a clean break [4]."

"Well, give me your address. I'll drop you a line from one time to the another [5], old hoss." Already I could feel loneliness settling over me like a cloak [6]... and looking at him, I knew that things were not quite what they seemed.

"Don't have none yet [7]," he said.

"All right," I said. "*Is* it Vermont, Homer?"

"Well," he said. "it'll do [8] for people who want to know."

Il almost didn't say it and then I did. "What does she look like now?"

"Like Diana," he said. "But she is kinder."

"I envy you, Homer," I said, and I did.

I stood at the door. It was twilight [9] in that deep part of summer when the fields fill with perfume and Queen Anne's Lace [10]. A full moon was beating a silver track across the lake [11]. He went across my porch and down the steps. A car was standing on the soft shoulder [12] of the road, its engine idling [13] heavy,. the way the old ones do that still run full bore straight ahead and damn the torpedoes. Now that I think of it, that car *looked* like a torpedo. It looked beat up some [14], but as if it could go the ton without breathin hard. He stopped at the foot of my steps and picked something up – it was his gas [15] can, the big one that holds ten gallons [16]. He went down my walk to the passenger side of the car. She leaned over and opened the door.

---

1. **To see to** + gérondif = *veiller à ce que.*
2. **Forward :** *en avant.* **Please forward :** *prière de faire suivre.*
3. **Bill** ou **invoice** ['ɪnvɔɪs] **:** *facture.* L'*addition* (au restaurant) : GB, **bill** ; US, **check.**
4. **A clean break :** litt. *une cassure propre.*
5. On dirait en anglais standard : **from time to time,** ou **now and then.**
6. **Cloak :** *grande cape, houppelande.* Cf. **cloakroom :** *vestiaire,* ou *consigne* (dans une gare).
7. Pour **I don't have any.**
8. **It'll do :** *cela suffira, cela conviendra.*
9. **Twilight :** *crépuscule.* Litt. *entre deux lumières.*

— J'm'en vais, qu'il a fait.

— Ouais ?

— Ouais.

— Très bien ; tu t'es occupé de faire suivre ton courrier ?

— J'veux pas qu'on l'fasse suivre, qu'il fait. J'ai réglé mes factures. J'veux couper les ponts.

— Alors, donne-moi ton adresse. J'te mettrai un mot de temps en temps, vieux frère. » Je sentais déjà s'abattre sur moi le grand manteau de la solitude... et en le regardant, j'ai compris que la réalité ne correspondait pas toujours aux apparences.

— J'en ai pas encore, qu'il a fait.

— Très bien, que j'dis. C'est *dans le Vermont* que tu t'en vas, Homer ?

— Va pour le Vermont, si on veut.

J'ai failli le retenir, mais j'ai tout de même dit :

— À quoi ressemble-t-elle maintenant ?

— À Diane, dit-il, mais en plus doux.

— Je t'envie, Homer, que j'dis et j'étais sincère.

Je suis resté sur le pas de la porte. On était au cœur de l'été, au crépuscule, époque où les champs s'emplissent de parfums et de balais de sorcière. Sous la pleine lune, une bande argentée traversait le lac. Il a franchi ma terrasse et descendu les marches. Sur l'accotement de la route attendait une voiture ; le moteur tournait bruyamment au ralenti, comme font les vieilles bagnoles encore capables de foncer comme des torpilles. En y repensant, cette voiture *avait l'air* d'une torpille. Malgré les ravages du temps, elle semblait capable de foncer à toute blinde sans s'essouffler. Il s'arrêta au pied des marches pour ramasser quelque chose : c'était son jerricane, le gros, celui de 50 litres. Il a redescendu mon allée jusqu'à la portière avant droite de la voiture. Phelia s'est penchée pour l'ouvrir.

---

10. **Queen Anne's Lace** (litt. *dentelle de la reine Anne*), ou **wild carrot.** Herbe américaine ainsi dénommée à cause des groupes de fleurs qui ressemblent à de la dentelle. En français : *balais de sorcière* (terme bot.).

11. **A full moon... lake :** litt. *une pleine lune traçait une piste argentée en travers du lac.*

12. Litt. *accotement non stabilisé.*

13. **Idle :** *oisif, désœuvré.* **In my idle moments :** *à mes moments perdus.*

14. Litt. *elle avait l'air d'avoir été battue.*

15. **Gas** (de **gasoline**) : *essence* (US) ; GB : **petrol.**

16. **A gallon :** GB = *4,546 litres* ; US = *3,785 litres*

The inside light came on and just for a moment I saw her, long red hair around her face, her forehead shining like a lamp. Shining like the *moon.* He got in and she drove away. I stood out on my porch and watched the taillights [1] of her little go-devil twinkling red in the dark... getting smaller and smaller. They were like embers [2], then they were like flickerflies [3], and then they were gone.

Vermont, I tell the folks from town, and Vermont they believe, because it's as far as most of them can see inside their heads. Sometimes I almost believe it myself, mostly when I'm tired and done up [4]. Other times I think about them, though – all this October I have done so, it seems, because October is the time when men think mostly about far places and the roads which might get them there. I sit on the bench in front of Bell's Market and think about Homer Buckland and about the beautiful girl who leaned over to open his door when he come down that path [5] with the full red gasoline can in his right hand – she looked like a girl of no more than sixteen, a girl on her learner's permit [6], and her beauty *was* terrible, but I believe it would no longer kill the man it turned itself on; for a moment her eyes lit [7] on me, I was not killed, although part of me died at her feet.

Olympus must be a glory to the eyes and the heart, and there are those who crave [8] it and those who find a clear way to it, mayhap [9], but I know Castle Rock like the back of my hand and I could never leave it for no shortcuts where the roads may go; in October the sky over the lake is no glory but it is passing fair, with those big white clouds that move so slow; I sit here on the bench, and think about 'Phelia Todd and Homer Buckland, and I don't necessarily wish I was where they are... but I still wish I was a smoking man.

---

1. **Taillight :** *feu arrière.*
2. **Embers :** *braises.* **Ashes :** *cendres.*
3. **To flicker :** *vaciller.* Cf. une bougie sur le point de s'éteindre.
4. **Done up :** éreinté.
5. **Path :** *sentier, chemin.* **Footpath :** *chemin piétonnier.* ≠ **Lane :** une *ruelle.*

L'intérieur s'est allumé et je l'ai aperçue pendant un court instant, le visage nimbé d'une large chevelure rousse, le front luisant comme une lanterne ; luisant comme la lune. Il est monté et elle a démarré. Debout sur ma terrasse, j'ai regardé le scintillement rouge des feux arrière du petit bolide décliner dans l'obscurité. Braises, lucioles, puis plus rien.

Aux villageois, je dis le Vermont, et ils y croient, parce que la plupart ne savent pas voir plus profond dans leur crâne. Parfois, quand j'suis complètement crevé, j'y crois presque moi-même. Mais d'autres fois, j'pense à eux : j'ai pas arrêté d'y penser pendant tout ce mois d'octobre, parce que c'est la saison où on pense surtout aux lieux lointains et aux routes qui pourraient y mener. Assis sur un banc devant chez Bell, le magasin d'alimentation, je songe à Homer Buckland et à la belle fille qui s'est penchée pour lui ouvrir la portière quand il a redescendu l'allée, le jerricane rouge plein d'essence dans la main droite : on aurait dit une gamine de seize ans à peine, qui n'a encore qu'un permis de conduire provisoire ; elle était d'une beauté terrifiante, mais je crois que cette beauté ne tuerait plus l'homme vers lequel elle se tournerait ; pendant un instant, son regard s'était posé sur moi, mais j'étais resté en vie, bien qu'une partie de moi-même soit morte à ses pieds.

L'Olympe, ça doit être une fête pour les yeux et pour le cœur ; y a des gens qui brûlent d'y aller, et des gens qui en connaissent p't'être le chemin ; mais moi, j'connais Castle Rock comme ma poche et je ne le quitterais pour aucun raccourci où peuvent mener les routes ; en octobre, au-dessus du lac, le ciel n'est pas une fête, mais il est assez clair, avec ces gros nuages blancs qui se déplacent tout doucement ; assis sur le banc, je songe à Phelia Todd et à Homer Buckland et je n'ai pas forcément envie de me trouver là où ils sont... mais j'ai tout de même la nostalgie du temps où je fumais.

---

6. **On her learner's permit.** Avant d'obtenir leur permis de conduire définitif **(driving licence)**, les apprentis conducteurs de certains États US se voient délivrer des permis provisoires.
7. **To alight :** *atterrir, se poser.*
8. **To crave for** ou **to long for :** *désirer ardemment.*
9. **Mayhap :** arch. pour **maybe.**

RÉVISIONS

1. *J'ai la nostalgie du temps où je fumais.*
2. *Un type a fait halte pour faire le plein.*
3. *Il but une gorgée d'eau minérale et demeura silencieux pendant quelques instants.*
4. *Il y avait longtemps qu'Homer brûlait de raconter cette histoire.*
5. *J'ai voulu qu'on vérifie ces chiffres.*
6. *Elle a fait une pause pour reprendre son souffle.*
7. *Voyons combien de miles cela ferait à vol d'oiseau.*
8. *« Aïe ! nom d'un chien ! Ça fait mal ! »*
9. *Elle m'a payé un repas d'enfer.*
10. *J'ai dit que ça ne me gênait pas.*
11. *Je voudrais que vous ouvriez la maison pour me permettre d'entrer.*
12. *Tu t'es occupé de faire suivre le courrier ?*
13. *Je connais Castle Rock comme ma poche.*

1. I still wish I was a smoking man.
2. A fellow pulled in and began to fill up his car.
3. He sipped his mineral water and fell silent for a moment.
4. He had been waiting to tell that story for a long time.
5. I wanted these figures checked.
6. She paused to get her breath back.
7. Let's see how many miles it would be as the crow flies.'
8. Ouch ! dammit ! It hurts !
9. She bought me a hell of a dinner.
10. I said it didn't bother me.
11. I'd like you to open the house so I can get in.
12. Did you see to forwarding your mail ?
13. I know Castle Rock like the back of my hand

ENREGISTREMENT SONORE

Vous trouverez dans les pages suivantes *10 séries de questions* concernant la nouvelle **The Monkey** *(Le Singe)*, et *6 séries de questions* concernant **Mrs. Todd's Shortcut** *(Le raccourci de Mme Todd)*.

Vous pourrez vous reporter aux pages comprenant ces extraits, et indiquées dans le texte par le symbole ●● au début et à la fin de l'extrait.

→ Vous tirerez le meilleur profit des enregistrements en utilisant la cassette de la façon suivante :

1) *Essayez de répondre* aux questions sans vous référer au texte écrit.

2) *Vérifiez votre compréhension* de l'extrait et des questions de la cassette à l'aide du livre.

3) *Refaites* l'exercice jusqu'à ce que vous ne soyez plus tributaire du texte écrit.

Extrait n° 1, p. 16 : **They had taken... he had not.**

Questions

1. What kind of rooms had they taken?
2. When had Terry taken Valium?
3. Why did she take Valium?
4. When had she started taking Valium?
5. Did Terry really agree with Hal?
6. What did he tell Terry to comfort her?
7. Why was Hal losing Dennis?
8. How did Terry find out about Dennis smoking reefer?

Corrigé

1. They had taken two adjoining rooms in a motel.
2. On the ride back from the home place in Casco.
3. To keep her nerves from giving her a migraine.
4. Around the time National Aerodyne had laid Hal off.
5. Hal thought her agreement was a lie.
6. He told her that it was work, and that they were lucky; that the company house in Arnette was every bit as good as the place in Fresno.
7. Because Dennis was achieving a premature escape-velocity.
8. She smelled it sometimes.

Extrait n° 2, pp. 22-24 : **Bill might... gone again.**

Questions

1. Had Hal forgotten where the well was?
2. What did Hal do when he reached the well?
3. What did he do when he knelt down?
4. What did he see in the water?
5. Was it the monkey's face?
6. When had the well gone dry?
7. Why had Uncle Will borrowed money from the bank?
8. Was the old well still dry?

Corrigé

1. No, he hadn't. He went to it unerringly.
2. He stood there, breathing hard, looking at the rotted boards that covered the well.
3. He moved two of the boards aside.
4. He saw a drowning face staring up at him, wide eyes, grimacing mouth.
5. No it was his own face.
6. The summer Johnny McCabe died.
7. To have an artesian well sunk.
8. No. The water had come back.

Extrait n° 3, pp. 32-36 : **Put that down... the door again.**

Questions

1. What frightened Hal when Petey dropped the monkey?
2. Where were Terry and Dennis?
3. Did Hal go home before Terry?
4. What was Terry doing?
5. What was Dennis doing?
6. What was Petey doing?
7. Why did Dennis let Petey have the monkey?
8. Why was Hal angry with Dennis?

Corrigé

1. He thought that would do it, that the jolt would jog its machinery and the cymbals would begin to beat and clash.
2. They had gone to see a movie.
3. No, because he had stayed at the home place longer than he would have guessed.
4. She was watching TV.
5. He was reading a rock magazine.
6. He was goofing with the monkey.
7. Because it didn't work anyway.
8. Because he was getting a mouth problem.

Extrait n° 4, p. 40 : **He had been four... worse.**

Questions

1. How old was Hal when he first saw the monkey?
2. What had Hal's father done before dying?
3. What was Hal's mother occupation?
4. Why didn't babysitters stay for long?
5. Did they read to Hal?
6. What kind of a woman was Beulah?
7. What kind of stories did she read?
8. What did Beulah eat?

Corrigé

1. He was four.
2. He had bought a house in Hartford.
3. She worked as a secretary at Holmes Aircraft, a helicopter plant.
4. They got pregnant and married their boyfriends or got work at Holmes.
5. No. None of them wanted to read to Hal as his mother would do.
6. She was a huge, sleek girl.
7. She read lurid tales from one of her confession or true-detective magazines.
8. Se ate peanut butter.

Extrait n° 5, pp. 46-48 : **He put it... teeth grinned.**

Questions

1. Where did Hal put the monkey?
2. What happened to Hal that night?
3. What happened when Hal came back from the bathroom?
4. What happened when he heard the monkey?
5. What did the monkey do on the shelf?
6. What did its lips do?
7. Did Bill wake up?
8. What did the cymbals do?

Corrigé

1. On the shelf on his side of the bedroom.
2. He awoke from an uneasy dream, bladder full.
3. Suddenly, the monkey began to beat its cymbals in the darkness.
4. He came fully awake; his heart gave a staggering leap of surprise.
5. Its body rocked and humped.
6. Its lips spread and closed, revealing huge, carnivorous teeth.
7. No. He turned over and uttered a loud, single snore.
8. They clapped and clashed.

Extrait n° 6, p. 58 : **That day... guts.**

Questions

1. Why did Hal come home alone?
2. Where did he find the key to the house?
3. Where did he go when he went in?
4. What happened to the bottle?
5. What did Hal do when he heard the monkey?
6. Where did he rush?
7. Where was the monkey?
8. What had the monkey done?

Corrigé

1. Because Bill had to stay after school.
2. Under the mat.
3. He went immediately to the refrigerator.
4. It slipped through Hal's fingers and crashed to smithereens on the floor.
5. He stood there immobile, looking down at the broken glass and the puddle of milk.
6. He rushed upstairs to his room.
7. On Bill's shelf.
8. It had knocked the autographed picture of Bill Boyd face-down onto Bill's bed.

Extrait n° 7, pp. 70-72 : **When Hal... Yes, I have.**

Questions

1. At what time did Hal awake?
2. Where was Petey?
3. What was he doing?
4. How did Hal feel?
5. Where was Terry?
6. Why did Hal look at Petey cautiously?
7. What did Hal say in his sleep?
8. What did Hal feel for his son?

Corrigé

1. It was nearly noon.
2. He was sitting cross-legged in a chair across the room.
3. He was eating an orange and watching a game show on TV.
4. He felt as if someone had punched him into sleep.
5. She was out shopping.
6. Because Petey told him he had talked in his sleep.
7. Petey coudn't make it out.
8. He felt simple love, an emotion that was bright and strong and uncomplicated.

Extrait n° 8, pp. 80-82 : **He watched... the bag over.**

Questions

1. What did Hal watch?
2. What happened when Petey started back?
3. What kind of reflex did Hal have?
4. Did the cymbals beat?
5. Why did the driver motion to Petey?
6. Why was Hal's hand numbed?
7. Why did the fly bumble and buzz?
8. What did Petey look like when he came in?

Corrigé

1. He watched Petey hunt up three good-sized rocks.
2. A car came around the corner.
3. He had the kind of reflex a good shortstop shows going to his right.
4. No. They closed soundlessly on Hal's intervening hand.
5. He motioned as if what had almost happened was Petey's fault.
6. Because the cymbals pressed coldly against it.
7. To find the cold October sunshine.
8. His cheeks were rosy.

Extrait n° 9, pp. 94-96 : **Hal and his... boat's bow.**

Questions

1. Where was the boathouse?
2. Where was the flight bag?
3. What did Hal feel for in his pocket?
4. What color was the sky?
5. What color were the leaves?
6. What could Hal smell?
7. What did he kick down?
8. Why didn't Uncle Will take both boys fishing together?

Corrigé

1. It was down the embankment behind the home place.
2. Hal had it in his right hand.
3. He felt for the ring of keys Bill had given him.
4. It was a brilliant blue.
5. They had gone every shade from blood red to school-bus yellow.
6. He could smell November just downwind.
7. He kicked down he wooden block that held the door open.
8. Because he maintained the boat was too small for three.

Extrait n° 10, pp. 108-110 : **The boat... tight throat.**

Questions

1. What did Hal see shoreward?
2. What happened to Amos Culligan's Studebaker?
3. What was Petey doing?
4. What was there on either side of the boat?
5. Was Hal still sweating?
6. Was his jacket dry?
7. How did he row?
8. Could Hal understand what Petey was screaming?

Corrigé

1. He saw Hunter's Point and a collapsed wreck that must have been the Burdon's boathouse when he was a kid.
2. It plunged through the ice one long-ago December.
3. He was screaming and pointing.
4. There were clouds of thin spray.
5. No. His sweat had dried to gooseflesh.
6. No. Spray had soaked the back of it.
7. He rowed grimly.
8. No, because Pete's scream was only a faint, bright runner of sound.

Extrait n° 1, p. 126 : **There goes... smoking man.**

Questions

1. Who was passing by?
2. What did Homer watch?
3. What did the woman do?
4. How long had Homer been the Todds' caretaker?
5. Who was Phelia Todd?
6. Did Homer like Todd's second wife?
7. When did the story take place?
8. Where were Homer and the narrator sitting?

Corrigé

1. The Todd woman was passing by.
2. Homer watched the little Jaguar go by.
3. She raised her hand to Homer.
4. He had been their caretaker since time out of mind.
5. Phelia Todd was Worth Todd's first wife.
6. Not very much; he'd liked Phelia much better.
7. It took place in October, two years ago.
8. They were sitting on a bench in front of Bell's Market.

Extrait n° 2, pp. 128-130 : **Ophelia was... woman.**

Questions

1. What did Phelia do for the town library?
2. What did she do for the war memorial?
3. Do summer people hate the idea of raising money?
4. Do they like to waste their time?
5. Did Phelia lay time by?
6. What did Phelia wear when she scoured the memorial?
7. What did she drive to carry kids?
8. Where did she drive the kids?

Corrigé

1. She worked to raise money for the library.
2. She helped to refurbish it, using scouring pads and elbow grease.
3. No they love it. When you mention it, their eyes light up and begin to gleam.
4. No, time is what they mostly set a store by.
5. No. Unlike other summer people, she was willing to spend time.
6. She wore an overall with her hair done up in a kerchief.
7. She drove her husband's big shiny pickup.
8. She took them to the lake for a summer swim program.

Extrait n° 3, p. 170 : **Then another... survey-squares.**

Questions

1. Why did Phelia duck?
2. What did she yell?
3. What happened to the car when Phelia ducked?
4. What happened five minutes later?
5. What kind of woods did they cross in the end?
6. Where did they pull in?
7. What did Phelia look like?
8. Where did Phelia's shortcut take her?

Corrigé

1. Because another branch snatched at her.
2. She yelled: "Ouch! dammit! it hurts!"
3. The car swerved a little.
4. They swang onto another of Phelia's woods roads.
5. They were just plain old woods.
6. They pulled into the parking lot of the Pilot's Grille in Bangor.
7. She looked as if she was two women: Phelia and Diana.
8. It took her through places that aren't on any map of Maine.

Extrait n° 4, pp. 172-174 : **And she bought... miles.**

Questions

1. What did Phelia buy Homer?
2. Why didn't Homer feel very hungry?
3. When did Phelia excuse herself?
4. Why?
5. What did she ask when she came back?
6. What did the woman tell her on the phone?
7. How did Phelia intend to go back?
8. Did Phelia remember her trip?

Corrigé

1. She bought him a hell of a dinner.
2. Because he kept thinking about the ride back, now that night was falling.
3. When they were about halfway through their meal.
4. To make a phone call.
5. If he would mind driving the go-devil back to Castle Rock for her.
6. She said they had some kind of problem.
7. She thought she could grab a Hertz car, unless her husband came and fetched her.
8. This is rather mysterious. Homer can only guess that she must have remembered some of it.

Extrait n° 5, pp. 180-182 : **She disappeared... a lot.**

Questions

1. When did Phelia disappear?
2. What did she look like when Homer first saw her?
3. Where was Worth Todd?
4. Where does Phelia stand?
5. Where was Homer?
6. How long did it take Phelia to go to Bangor?
7. What had she found?
8. How far is it from Castle Rock to Bangor as the crow flies?

Corrigé

1. She disappeared in August.
2. She looked gorgeous and wild and almost untamed.
3. He was at some conference in Boston.
4. At the edge of the deck.
5. In the middle of the deck.
6. Sixty seven miles.
7. She'd found two new shortcuts.
8 Seventy nine miles.

Extrait n° 6, pp. 196-198 : **That was two... I did.**

Questions

1. Is Homer still at Castle Rock?
2. What happened one night?
3. What did Homer smell of?
4. What were his face and eyes like?
5. Why did Dave envy Homer?
6. What is arthritis compared with?
7. Did Homer want his mail to be forwarded?
8. Was Homer leaving for a short while?

Corrigé

1. No, he isn't; he has left for Vermont.
2. Homer came over to see Dave.
3. He smelled of some nice lotion.
4. His face was clear; his eyes were alive; his hair was combed, and he had had a shave.
5. Because he looked younger and did nòt seem to suffer from arthritis any more.
6. With an old fisherman whose fishhooks are sunk into one's hands.
7. No, he didn't.
8. No he wanted to make a clean break.

LEXIQUE

T

U

V

W

Y

Z

Michel ORIANO, agrégé d'anglais, docteur d'État, est professeur de civilisation américaine à l'Institut d'anglais Charles V (Université Paris VII).

Ancien conseiller culturel adjoint à Washington (après avoir été attaché culturel à San Francisco), il est actuellement directeur de l'Institut français de Londres.

Il a dirigé une collection de dossiers sur la civilisation des pays anglophones (Masson), et publié une *Initiation à la civilisation américaine* (Masson) et une étude sur le folklore américain, *Les travailleurs de la frontière* (Payot).

Il a également traduit plusieurs ouvrages anglais et américains, dont *William Blake*, de K. Rayne (Le Chêne), et *Les jeux du monde*, de Jack Botermans (Le Chêne).

Cet ouvrage a été composé par
TÉLÉ-COMPO - 61290

Achevé d'imprimer en mai 1993
sur les presses de Cox & Wyman Ltd
(Angleterre)

PRESSES POCKET – 12, avenue d'Italie 75627 Paris cedex 13
Tél. 44.16.05.00

Dépôt légal : mai 1990
Imprimé en Angleterre